徐建华 著

中国的家谱

百花文艺出版社
BAIHUA LITERATURE AND
ART PUBLISHING HOUSE

图书在版编目（ＣＩＰ）数据

中国的家谱 / 徐建华著． — 天津：百花文艺出版
社，2010.1
ISBN 978-7-5306-5501-6

Ⅰ．①中… Ⅱ．①徐… Ⅲ. ①家谱—研究—中国
Ⅳ． ①K820.9

中国版本图书馆CIP数据核字（2009）第176828号

百花文艺出版社出版发行

地址：天津市和平区西康路35号

邮编：300051

e-mail:bhpubl@public.tpt.tj.cn

Http://www.bhpubl.com.cn

发行部电话：（022）23332651　邮购部电话：（022）27695043

全国新华书店经销

天津午阳印刷有限公司印刷

※

开本787×1092毫米　1/16　印张15.25　插页2

2010年1月第2版　2010年1月第1次印刷

印数：1-5000册　定价：29.00元

目录
MULU MULU

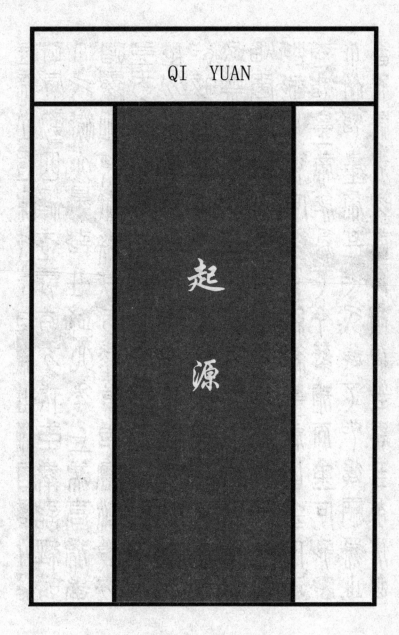

QI YUAN

起

源

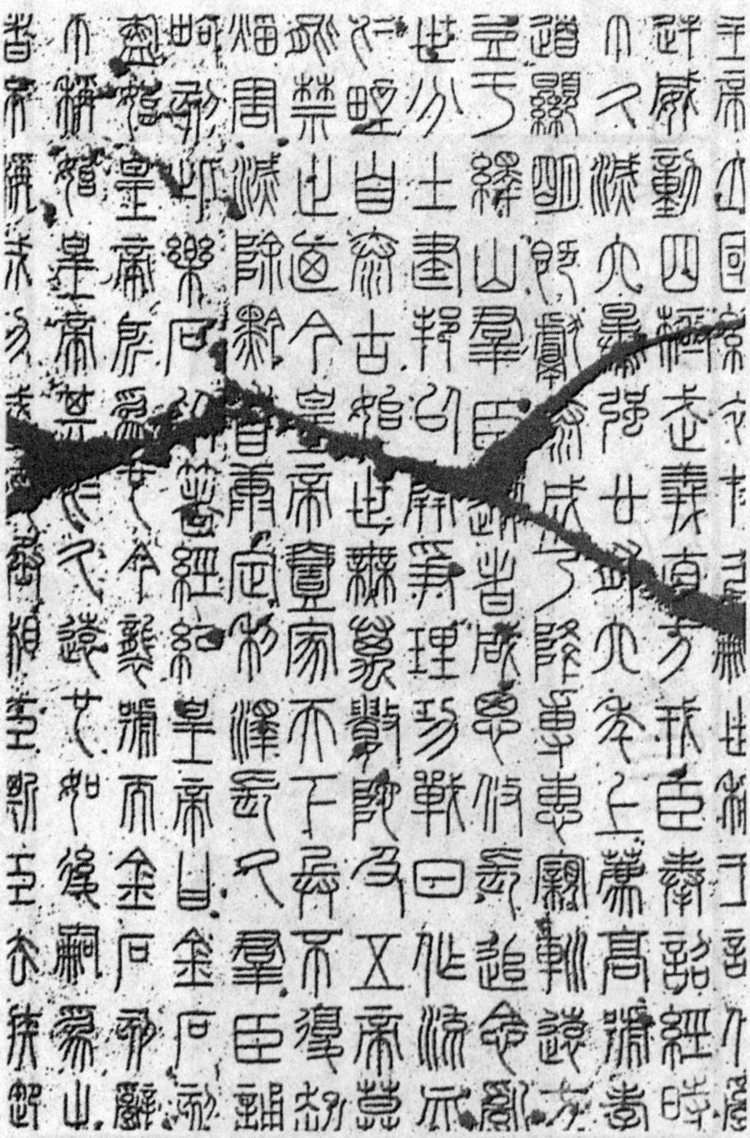

皇帝立國，維初在昔，嗣世稱王。討伐亂逆，威動四極，武義直方。戎臣奉詔，經時不久，滅六暴強。廿有六年，上薦高號，孝道顯明。既獻泰成，乃降專惠，親巡遠方。登于繹山，群臣從者，咸思攸長。追念亂世，分土建邦，以開爭理。功戰日作，流血於野，自泰古始。世無萬數，阤及五帝，莫能禁止。乃今皇帝，壹家天下，兵不復起。災害滅除，黔首康定，利澤長久。群臣誦略，刻此樂石，以著經紀。

皇帝曰：金石刻盡始皇帝所為也，今襲號而金石刻辭不稱始皇帝，其於久遠也，如後嗣為之者，不稱成功盛德。丞相臣斯，臣去疾，御史大夫臣德，昧死言：臣請具刻詔書，金石刻因明白矣。臣昧死請。制曰：可。

家谱，是一种以表谱形式记载一个以血缘关系为主体的家族世系繁衍及重要人物事迹的特殊图书形态。它产生于上古时期，完善于封建时代。近四千年来，家谱在不同时代显现出不同的形态，发挥着不同的作用。从古至今，我们的先民们编制了难以数计的各类家谱，虽经岁月浸蚀，流传至今的至少仍有三万多种，其内容之丰，价值之高，很值得我们今天去了解与认识。

古往今来，在祖国广袤的土地上，散居着无数个大大小小的家族，他们都有着各自的共同祖先，血缘关系将他们牢固地联系在一起，同呼吸，共命运，虽然有贫富差异，但这并不妨碍他们共同居住在同一块土地之上，即使是战争、瘟疫和各种自然灾害，也不能将他们分开。这些家族构成了中国古代社会的基础，氏族是一个大家族，国家是一个最大的家族，国王或皇帝是这个家族的总族长，百姓是这个家族的子民，总族长利用各种手段和相当于血缘关系的纽带，维持和统治着自己的国家。

为了能使统治得到延续和稳定，权力更替和财产继承能够平稳实现，不致落入外人之手，无论是国家还是各个家族，都十分重视血统的纯净，为此，记录血缘关系和血统世系的谱牒就应运而生了。

关于家谱起源的具体时期，历代说法不一，归纳一下，可以看出，传统学术界大致有宋代起源、战国秦汉

起源、周代起源、殷商起源等四种观点。这些观点的提出，基本上都是建立在已有文献的基础之上。然而，如果我们在文献学的基础之上，再加上运用考古学、民俗学等方法进行考察，就会发现家谱的产生时代远远早于上述四说。应该说，早在文字出现之前，家族世系就曾以结绳、口传等方式存在于漫长的历史时期之中，关于这一点，已经在很多民族的发展史中得到验证，中华民族自然也不会例外。

从文献角度看，早在中国进入奴隶制社会初期的夏朝，王室就有了记录自己世系的谱牒，这就是夏王室的家谱。商、周王室也都有自己的家谱，后人曾加以整理，编成《五帝德》、《帝系》、《五帝系牒》、《世本》、《帝王诸侯世谱》等通代谱牒。汉代著名史学大师司马迁在创作其不朽的史学著作《史记》时，就曾参考并仔细研究过这些资料。他自称："余读牒记，黄帝以来皆有年数。"在此基础之上，他结合实地游历、考察所得，写成《五帝本纪》、《夏本纪》、《殷本纪》、《周本纪》、《楚世家》和《三代世表》等，完整、系统而具体地记录了黄帝、颛顼、帝喾、尧、

用刀刻在龟甲兽骨上的甲骨文是现在所知最早的汉字，它的字形有大有小，笔道很细，每个字都像是一幅小孩子画的画。

舜等五帝的世系和夏、商、周三代王室以及楚王室由始祖而下的本支历代世系。同时，司马迁还根据春秋时期各国国君的家谱，编成《十二诸侯年表》。遗憾的是，那些原始的家谱文献由于年代久远，大多早已失传。今天，我们只能见到后人辑佚、整理的部分本子和司马迁《史记》中的记述。

令人欣慰的是，在传世的甲骨文中，却还保留有世

界上最古老、最原始的实物家谱。据有关学者的研究和释读，共有三件甲骨片可以确认为是最古老的家谱，一件最早见于容庚等编的《殷契卜辞》中，序号为209；一件最先收录于《库、方二氏藏甲骨卜辞》中，序号为1506；一件最初见于董作宾的《殷虚文字乙编》，编号为4856。第一、第三件文字不多，价值相对差一些，第二件"库1506"为一大片牛肩胛骨，1903年左右为美国人方法敛收藏，今藏大英博物馆，所载文字是一极为完整的、典型的商人家族世系。有关本片的真伪一直存在争议，认为是伪刻的有胡小石、董作宾、郭沫若、容庚、唐兰、胡厚宣等先生，认为是真品的有张政烺、陈梦家、于省吾、饶宗颐、李宗勤等先生。不过，近年来的学者，大多认为是真品。全片从右到左，共13短行，每行一句，除第一行为五字外，其余12行均为四字，行间无直线。陈梦家先生在其《殷虚卜辞综述》一书中释文为：

> 儿先祖曰吹，吹子曰妖，妖子曰□，□子曰雀，雀子曰壹、壹弟曰启、壹子曰丧、丧子曰养、养子曰洪、洪子曰御、御弟曰□，御子曰□，□子曰□

儿氏家谱刻碑
上：拓本　下：摹本

并将这件甲骨片定为武丁时代所刻。武丁是商代第10世23任国王，距今大约有三千二百余年。这件家谱一共记录了儿氏家族13个人名，其中父子关系的11人，兄弟关系的2人。也就是说，这件家谱共记录了这个家族11代的世系。通过这件家谱实物，我们可以这么认为，

远在三千多年前的商代，我国就已有了以表格形式记录家族世系人物的家谱了。此外，这三件实物资料上的人名，均不见于商代先公先王谱系之中，显然，它们都不属于商代王室成员。由此又可以得出这样一个结论，早在三千二百多年之前，不仅王室，就是其他一些显贵家族，也已有了本家族文字记载的家谱。"库1506"家谱共有11代世系，以每一代世系30年计，这个家族有家谱的历史又可上推三百余年，这件家谱实物年代之早，不仅在中国，而且在世界历史上也是绝无仅有的。

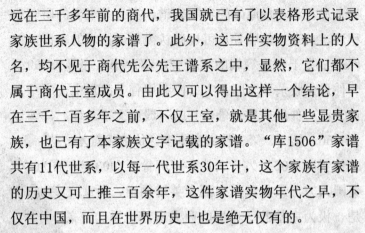

对罍，陕西凤翔县博物馆藏，通高46厘米、口长23厘米，西周中期。1973年3月陕西凤翔勤读村出土。肩有兽首衔环耳，腹斜收。颈饰象鼻龙纹，肩饰火纹，腹饰垂叶形龙纹，口内铭25字，记对为亡父日癸作祭器。

除了上述三件家谱实物之外，在现存的甲骨文中，还有不少商人求祷或祭祀列祖列宗而形成的祭祀谱。这些祭祀谱，原本是为祭祀用的，它们有的求祷于自己的祖先，有的记载受祭各先祖的名字，有的则排列各先祖的受祭日期，从而形成了一连串的世系。同时，这些祭祀谱上往往还有诸如祈祷用语、祭牲数目、祭祀日期等内容，因而，它们与专门记述家族世系的家谱有所区别。然而，由于它们记载的均为同一家族的世系人物，并逐代排列，有条不紊，则又与家谱在性质上有些相同。由此，我们基本可以得出这样的结论：这些祭祀谱是家谱的初级形式，它所记载的家族世系资料，为专门家谱的撰修提供了可靠的资料保证。在某种意义上，也可以说商代的这些祭祀谱，是一种原始形态的家谱，它的产生年代可能要略早于专门记述家族历代父子世系的家谱。

在现存的商朝末年的青铜器中，也有几件是属于专门记载商人家族世系的家谱。如现收藏于辽宁省博物馆的三件同时出土于易州（今河北易县）的青铜戈（文物

界称做"商三句兵"），三个戈的铭文释读分
别为：

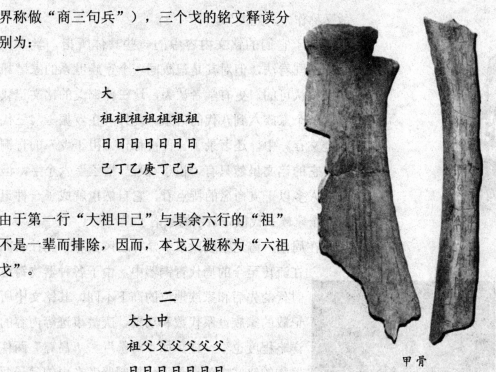

一

```
大
祖祖祖祖祖祖祖
日日日日日日日
己丁乙庚丁己己
```

由于第一行"大祖日己"与其余六行的"祖"
不是一辈而排除，因而，本戈又被称为"六祖
戈"。

二

```
大大中
祖父父父父父父
日日日日日日日
乙癸癸癸癸癸己
```

甲骨

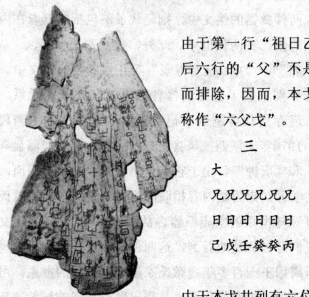

由于第一行"祖日乙"与
后六行的"父"不是一辈
而排除，因而，本戈又被
称作"六父戈"。

三

```
大
兄兄兄兄兄兄
日日日日日日
己戊壬癸癸丙
```

由于本戈共列有六位兄，

甲骨

故又称作"六兄戈"。

对于它们的铭文内容中的一些具体所指，学术界尚有不同看法，但对其是记载同一个家族世系的家谱却是大致认可的，更有学者认为，这三件铜戈的铭文记载了同一个家族六到八代的谱系。此外，在罗振玉《三代吉金文存》中，还著录了一件被称作"祖丁戈"的青铜戈，它的铭文虽然只有"祖丁 祖己 祖乙"六个字，但从商人多以干支命名的特点看，它自然也就成了一件记载一个家族三代祖先名字的家谱了。

在周代，铸记家族世系于鼎彝之风盛行于全社会。

在流传至今的周代青铜器中，由于各种器物铸造时代的先后和家族地位的高下不同，其铭文中所记载的家族世系代数和功勋、庆赏事迹等内容的详略程度也不一样。如"对罍"、"昌尊"两件器物的铭文中就记录了包括制器者在内的父子两代世系，而在"祖丁父癸彝"和"祖丁父己壶"两件彝器的铭文中，则记载了不包括制器者在内的祖、父两代世系。此外，在"秦公钟"、"屦郭"、"中山王嚳方壶"等几件器物的铭文中，分别记载了包括制器者在内的家族五代世系。现存周代青铜器中记载家族世系最多的，当属1976年于陕西扶风县庄白村同窖出土的"墙盘"和"庋钟"。由于它们是出于同一窖藏，因而，

甲骨

被有关学者判定为是内容相联的两件记载周初显贵微氏家族事迹与世系的宗庙祭器。从两件彝器的380字铭文中，我们可以清楚地看到，这两件彝器一共记载了自周文王至周穆王一百多年内微氏家族连续七代的世系。可以这么认为，这两件彝器也是我国现今发现的记录家族

世系最多的青铜家谱。

　　甲骨文和金文中有关世系的记载，仅仅可以认为是我国现存最早的使用文字记载的家谱形式。我们知道，在人类社会发展史上，文字并不是最早和唯一用于记事的方式。如前所述，在文字没有产生之前，人类的祖先就普遍采用结绳和口述的形式来记述各种大事，其中自然也就包括了家族世系。由此就形成了两种更为古老、更为原始的家谱形态，这些原始形态的结绳与口述家谱，在一些文明程度相对比较低的民族中，曾一直沿用或残存到近代和现代，成为民族家谱中两种很重要的组成形式，直至今日，我们仍可从我国某些少数民族中见到些许痕迹。

墙盘，本周中期青铜器。为微氏家族中名墙者为纪念其先祖而制的铜盘。因制器者为墙史官而得名。1976年12月出土于陕西省凤县庄白铜器窖藏中。

　　我国家谱文献的起源很早，可家谱专词的出现却晚了许多。但具体出现于何时，已不可考。目前见到的最早记录，是六朝时刘孝标《世说新语注》中曾引用了《王氏家谱》，而唐初李善《文选注》中，则不仅引用了《王氏家谱》，还引用了《颜氏家谱》。此外，《隋书·经籍志》中也著录有《杨氏家谱状及墓记》。这几部家谱，当为南北朝时人所撰。我们知道，某一词语被用做书名而存在，理应是在使用比较广泛，词义相对成熟之后。因此，我们可以说，家谱一词的出现必定是在南北朝之前，但限于资料，不敢妄断。不过，如果这样说，即家谱一词的出现，最晚不过南北朝，想必是不会错的。

墙盘铭文

名称与类型

家谱，历史上曾有多种名称，家谱仅是其中使用最多和最有代表性的一种。从古至今，家谱类文献的名称大致还有如下这些：谱、谱牒、族谱、族系录、族姓昭穆记、族志、宗谱、宗簿、宗系谱、家乘、家牒、家史、家志、家记、百家集谱、世录、世家、世本、世纪、世谱、世传、世系录、世家谱、支谱、本支世系、枝分谱、帝系、玉牒、辨宗录、偕日谱、系谱、图谱、新谱、星源集庆、列姓谱牒、血脉谱、源派谱、系叶谱、述系谱、大同谱、大成谱、氏族要状、中表簿、房从谱、维城录、谱录、祖谱、联宗谱、真谱、渊源录、家世渊源录、源流考、世典、世牒、世思录、家模汇编、

黄帝（远古），姓公孙，名轩辕，一说姬姓，号轩辕氏，有熊氏。少典之子。传说中古帝王，为中华民族始祖。像载《历代古人像赞》，明弘治十一年（1498）刻本。

乡贤录、会谱德庆编、私谱、传芳集、本书、系谱、清芬志、家传簿、先德传、续香集、房谱、祠谱、坟谱、近谱、会谱、全谱、合谱、统谱、通谱、统宗谱、宗世谱、总谱等等。

家谱的命名，通常是在家谱之前冠以姓氏、地名、郡望①、堂号②、几修等内容，如《汾湖柳氏第三次纂

①郡望：也称地望，主要用于标题一个姓氏或家族的发祥地与望出地，普遍流行于南北朝，盛行于唐朝。

②堂号：即祠堂名号，用以区别各家族或同家族中不同支派的标记。主要有两种类型，有姓氏特征与无姓氏特征。有姓氏特征的以郡望为主，兼及本姓氏或家族先人的道德情操、功名科第、嘉言懿行；无姓氏特征的则取材于吉利、祥瑞之语。

修家谱》，有地名、姓氏、几修；《六修严氏家谱》，只有几修和姓氏；《黄山王氏辅德堂支谱》，有地名、姓氏、堂号；《倪氏报本堂重修家乘》，有姓氏、堂号、几修；《陇西李氏宗谱》，有地望、姓氏。也有一些家谱将由何处迁来也标在名称上，如《锡山过氏浒塘派迁常支谱》，即由无锡迁至常州的过姓浒塘支派的家谱。还有一些则标上具体住处，如《毗陵修善里胡氏宗谱》，标明毗陵（武进县古名）修善里，以区别同县同姓家族。此外，还有一些家谱修成后，采用一些极为特殊的带有一定寓意的名称，如清代初年句容华渚修成华氏家谱54卷后，没有按照一般惯例命名，而冠名《华氏本书》。看了此书义例，方才了解到，这个名称的意义是为了正本求源。清光绪年间，钱日煦修成家谱10卷，命名为《吴越钱氏清芬志》，取义于两晋时陆机《文赋》中"诵先人之清芬"之意。民国年间，袁镛修成家谱《数典不忘》一卷，这是反《左传》中"数典忘祖"之意。像这类取名方式，在家谱中并不常见，一般还是采用地名、郡望、姓氏、几修加上家谱字样来命名。

从上古以来，历代所修家谱是难以计数的，这其中绝大部分因年代久远，已经湮没于历史的长河之中，它们的类型及特征，我们只能依靠时人与后人的记载来了解，留传至今的和新修的家谱大约有三万多种。这些亡

傅氏石碑图

佚和现存的家谱，由于编者不同，编修目的不同，再加上载体、文字、取材内容等方面的不同，呈现出不同的形态，仔细考察一下，古今家谱大致有如下类型：

首先，拥有记载家族血缘世系与历史的家谱的并不仅限于汉民族。虽说汉民族拥有的家谱数量占有绝对多数，但汉民族以外的其他一些少数民族中，也有相似或类似的文献存在。与汉民族使用同一种语言、文字的回族、壮族、畲族等民族，都有家谱存在；蒙古族、彝族

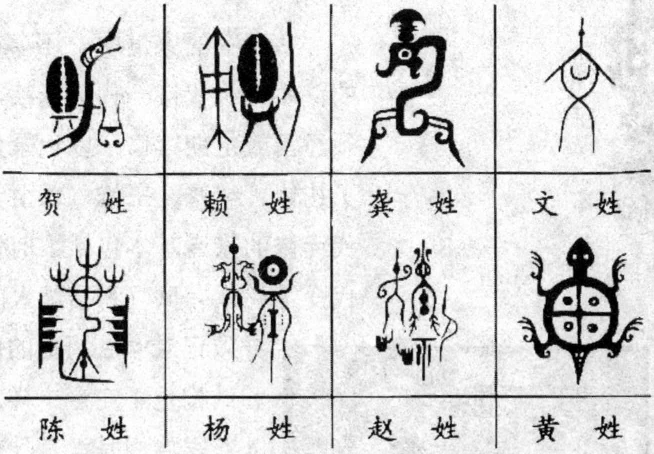

| 贺 姓 | 赖 姓 | 龚 姓 | 文 姓 |
| 陈 姓 | 杨 姓 | 赵 姓 | 黄 姓 |

部分姓氏图腾

也有使用本民族文字写成的家谱。清代由于满族人袭爵、入仕都需要有证明自己血统、身份的文件，因而，在少数民族中，满族人的家谱占了很大部分。其他一些没有文字的民族，如怒族、哈尼族、傈僳族、苗族、普米族、阿昌族、鄂伦春族等，也都有自己的结绳或口述的家谱。这表明，家谱的类型不仅有文字记载的，也有口述和结绳的。

在使用文字记载的家谱中，因载体和生成方式不同，又可区分为实物的和书本式的。早期的如商周甲骨、青铜家谱，汉代的石刻家谱，后代的塔谱，少数民族的结绳家谱等，都是实物的。在实物家谱中，似乎还应加上简册的。这是因为简册是春秋战国以至汉初的主要图书形态，可惜年代久远，至今还没有简册家谱的实物出土。魏晋南北朝以后的家谱，基本上都是书本式

15

的，不同的是有的为手写，有的为雕版印刷，当然现在又有排印的了。书写的载体有纸张与绸帛之分，装帧形式也有卷轴装、册页装、经折装、线装、平装、精装等区别。

在现存的家谱中，还存在着先修后修的区别。家族的世系，一代接一代地延续，记录家族世系的家谱就必须经常或定期续修，以记录延续的过程，这样，就产生了初修、续修、三修，以至十五修、二十修的不同。后代续修的家谱基本包括了前代纂修的内容，可是由于时代变了，社会风气和修谱人的观念也会随之发生变化，导致记录家族历史的侧重点也就不尽相同，格式和结构也不完全一样。如古代重本轻末，经商之人在家族中是没有什么地位的，可近代以来，社会风气发生变化，因商致富者在家族中的地位急剧上升，反映在家谱中是传文篇幅增加，位置显要，尤其是捐了一笔钱给祠堂或资助修谱后，更是如此。

《王氏家谱》

在家谱发展史上，也存在着纂修者不同的区别。唐代以前大多是官修，因而，修成的多是合谱、群谱，以姓氏谱、氏族志的形式出现，将所有姓氏分出等级，依次记录世系。由于需要记载的氏族太多，导致记录的内容较为简略，一般以世系为主。宋代以后，家谱由各家族自己纂修，仅记载本家族的历史和现状，因而，就有余力来丰富家谱的内容，家谱的构成也日渐复杂。宋代以后的家谱，由于记述范围不一样，又可分为仅记载一个大家族支派房系世系的支谱、房谱；记载一个大家族世系的宗谱、世谱；以及将分散于各地的同族各支派统编于一谱或多个虽不是同一家族，却因是同一姓氏而联合修谱的家族所修的大成谱、宗世谱、统谱、总谱；也有一些记载两个同姓但不同宗的家族的合谱存在。其中专门记录皇帝世系的称帝系、玉牒，记载诸侯家世的称世本，记录普通家族的称家谱或宗谱、族谱。此外，还有专门以记载宗族祠堂各种内容为主的祠谱和记载本家族历代祖先坟茔位置、坐向、守坟、规约、墓祭仪式等内容的坟谱等特殊家谱。

在笔者阅读过的家谱中，还见到这样两部有异于通常类型的家谱。一部为《诵芬咏烈编》，从名字上很难看出这是一部家谱，但从序文中可以明了名字的来源："武林徐氏，以翰林起家，台衮相袭，硕德清望，累世不衰。恭读乾隆间高宗纯皇帝'赐文敬公碑'文，有云'亦令尔子孙诵芬咏烈，知所法焉'。"由此可以看出，这是一部家世显赫的家族骄示其家族历史的专门文献。它的内容也很特殊，没有世系，首列历代皇帝诰敕，后列本家族中著名人物的各种传记资料和诗文。另一部为民国间所修的《徐氏族谱》，亦无世系，只列出这个家族分布于山东济宁、巨野、郓城、嘉祥、寿张、范县、阳谷等地所有现存成员的名号，间有简单说明，由此看来，这可能是一部联宗谱，但没有标明。

在家谱中，还有一些较为特殊的类型。无论过去还是现在，一个人如没有后裔，通常会从本姓或外姓子弟中领养一个男孩。三国时的著名政治家曹操的父亲曹嵩，就是从夏侯家被领养到曹家的。按说从外姓领养的后代不能入家谱，可自己既姓了别人的姓，也要生儿育女，形成家族延续，数代之后，要修家谱，又不能恢复原有的姓，只好将本姓和过继之姓均在家谱名称上列

出。如明初时修的《袁朱宗谱》，始祖朱梓，本姓袁，后过继给舅父朱德敏为子嗣，五世以后，子孙修谱时，向明太祖请求恢复本姓袁，没得到同意，最后只得以"袁朱"命名，此谱到清朝一共修过八次，均冠以《袁朱宗谱》之名。清道光年间，李召棠修成的《周李合谱》，光绪年间何乘势等修的《方何宗谱》，后世的《林李宗谱》等，也都属于这种情况，这是家谱中的一种特殊类型。

此外，另有一种特殊的异姓间的联宗合谱现象。比如因异姓联姻，生子兼祧二姓而合谱的《张廖氏族

姓氏竹简

谱》、《鲁陈宗谱》、《罗陈文安竹庭公族谱》等，同避讳改姓再入赘而导致祧三姓的《朱庄严氏大族谱》等，都属这种情况。除此之外，隋唐以前还有一些收录全国各地各宗族情况的万姓谱、百家谱和记录一地各族状况的郡谱、州谱存在，宋代以后则没有了。

家谱类型中，更有一种专门记录本家族所有庶母的极为特殊的类型。封建时代，妾在家族中是没有地位的，反映到家谱上，通常是不被收录，除非生有儿子，

方才被收入，即使收入著录，内容也极为简单，仅为某氏，所生子女人数、名字，连自己的名字都上不去。与此相反，明朝万历年间，金应宿修有六卷本的专门记录本家族各支庶母132人的庶母谱———《珰溪家谱外戚篇》；清代乾隆年间所修的《芝英应氏宗谱》后也附有庶母谱，上谱的庶母每人均有小传，内容包括姓名、籍贯、父名、生卒年月日时、葬所、子女，以及懿行、诗文等。家谱是一种被供奉于祠堂，接受族人祭拜的极为正式的家族文献，在这种文献中，正式确立了庶母在封建家族中的地位，不能不引起后人的重视。可以这么认为，庶母谱的出现，对于中国传统礼教是个冲击，然而，这并没有引起多大的反响，后代似乎也没有仿照者。

据清人黄虞稷《千顷堂书目》记载，明初太祖洪武年间曾官修过《明主婿》一卷，专门收录明太祖及众亲王所招女婿情况，成为中国古代文献中极为特殊的专收女婿的谱牒，这种女婿谱在其他文献中尚未见到记载。唐朝还有专记皇后的皇后谱牒和专记自唐高祖至昭宗各朝诸王公主的《圣唐偕日谱》，取义为"逐帝书出，号曰偕日，与日齐行之义也"。此外，也有专记自唐高祖至宪宗时诸王孙的《皇孙郡王谱》和宪宗元和年间至文宗开成年间所封公主的《元和县主谱》。

汉代还有一种专门记录家庭恩荣情况的家谱———《邓氏官谱》，集中记载了东汉时期大官僚邓禹家族历代宠贵的历史。宋代以后，这类恩荣的内容在每部家谱中都占有比较重要的位置和篇幅，因而，再也没有必要单独编制恩荣谱了。

在一些特殊群体，如佛教、道教中受中国传统宗

法文化影响较深的某些教派，封建帮派如青帮等中，也都有一种类似家谱的文献，比如道教中属全真派常道观的就有《龙门正宗碧洞堂支谱》，内有龙门派丹台碧洞宗世系表。据说佛教中禅宗祖庭少林寺也有类似记载本寺师徒传承世系的谱书。这一类文献，包括青帮等封建帮派的谱书，从世系角度来看确实类似家谱，所不同的是，家谱是以血缘关系为特征，而这些谱书则是以师缘关系为特征。两者虽有本质区别，但从这些群体的特殊性来看，我们还是可以认为这是家谱的一种特殊形态。可惜的是，这类谱书通常不易见着，否则，必定会给家谱研究增加新的内容。

发展与演变

夏商以来，不仅王室有家谱，诸侯及一些贵族也都有自己的家谱，专门记录家族世系，政府设专门机构管理。伟大的爱国主义诗人屈原官居三闾大夫，其主要职掌就是掌管楚国昭、景、屈三族的三姓事务，编制三姓的家谱。春秋时期，有人对这些家谱进行整理，编有《世本》15篇，集中记录了黄帝以至春秋时期帝王公侯卿大夫的家系。相传，荀子也曾编有《春秋公子血脉谱》，此书今已佚，可"血脉"二字，生动形象地揭示了家谱的本质。汉代司马迁在写作《史记》时，十分重视并大量参考了春秋以前的各种谱牒资料，用《太史公自序》中司马迁自己的话说就是："维三代尚矣，年纪不可靠，盖取之谱牒旧闻。"上古

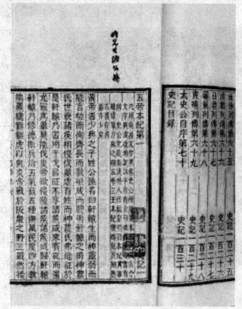

《史记》

时期，由于年代久远，文献不全，导致许多记载已不可靠，只能旁证于家谱之类家族文献和其他野史、传闻，而这些资料又已基本亡佚。由于这个原因，致使《史记》所记述的上古以来的政权更替和诸侯贵族的家系历史的权威性大大增强，《史记》也就成了我们今天了解上古历史的最权威著作。

春秋时期，各国王室的家族事务由政府专门设置的

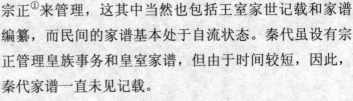

宗正①来管理，这其中当然也包括王室家世记载和家谱编纂，而民间的家谱基本处于自流状态。秦代虽设有宗正管理皇族事务和皇室家谱，但由于时间较短，因此，秦代家谱一直未见记载。

汉朝建立后，因袭秦制，设立宗正和专门机构管理皇族事务和掌修皇亲贵族谱牒。宗正之名经过几次变更，到东汉时又被恢复。宗正由皇族中人担任，掌管的皇族谱牒包括两种：一为属籍，收录以皇帝为核心上下五世直系亲属的名籍，因此，可以看作是皇帝本人的家谱；另一为诸王世谱，收录各同姓诸侯王的世系谱籍。此外，还有专门机构管理异姓功臣所封为王、侯的家族世系谱籍——侯籍。这些皇亲贵族的家族谱系现均已亡佚，有关内容只保存在当时和后世人所写史书如《汉书》、《后汉书》的某些表和列传之中。

《木氏宦谱》

西汉中期以后，宗族势力得到很大发展，附着于宗族藤蔓之上的家谱，尤其是私人家谱的修撰也开始出现，并迅速增长，这从司马迁《史记》中就可看到。在《史记》中，司马迁不仅总结和记录了入传人的家族世系，同时，在《太史公自序》的开头部分，还详细地叙述了自己的家族世系，可称是司马氏家谱的简本。自此之后，文人雅士纷纷仿效，较为著名的有扬雄、班固等。另外，从《后汉书·袁绍传》中也可看到，四世三公的袁氏家族，不仅有家庙，也有家谱，族中立有嫡嗣，必须告于祖庙，载入家谱。所憾者，这些家谱资料除极少

①宗正：春秋以来朝廷专门负责管理王族或皇族事务，包括修撰王族或皇族家谱的官职。

数原存于相关史书之中得以保存下来之外，均已基本亡佚，并且，绝大部分未见其他各种文献著录。

汉代家谱，见于文献记载的有《帝王诸侯世谱》20卷，以及《扬雄家牒》、《邓氏官谱》、应劭《风俗通义·氏族篇》和颍川太守聊氏所作的《万姓谱》等。此外，还有一些碑刻实物，如东汉光武帝建武二十八年（52）立的《三老碑》、桓帝延熹三年（160）五月立的《孙叔敖碑》和灵帝光和三年（180）立的《三老赵宽碑》：《孙叔敖碑》的碑阴部分，记载了春秋时楚相孙叔敖十余世孙和东汉初任渤海太守的孙武伯以下的家族世系。赵宽是西汉名将赵充国之后，世代显贵，《三老赵宽碑》由汉初始，完整地记录了赵宽家族数百年的家世。此两碑均十分完备和详细，因而，可以看作是汉朝人的石刻家谱。汉代的文献家谱现均已亡佚，通过这几块碑刻我们可以大致了解汉代家谱的基本情况。汉代的家谱与前代大致相同，主要作用是"奠系世、辨昭穆"，因而，著录比较简单，仅为家族世系，注明生卒、官爵、字号、葬所等。由于此时家谱一般不是自己纂修，多由别人代修，因而，为尊者讳起见，行文通常称字不称名，这也是汉代家谱的一大特色。

东汉时期，政府选拔人才的途径之一是"察举"，即根据社会议论来判别一个人的品德和才能，然后决定任用。评论必须由社会头面人士进行，他们自然不会注意到普通人家的子弟，目光只能停留在同阶层的圈子里，这样，门第和家世就逐渐重要起来。东汉末年，魏王曹丕在尚书陈群的建议下，实行了九品中正制，分九

王祜（924—987），字景叔，大名莘（今山东莘县）人。北宋官吏。初仕后周，入宋，历知光州、潞州，代符彦卿镇大名，以百口明彦卿无罪，世称其德。后官至后部侍郎。像载《东沙筑塘王氏宗谱》，天全堂1946年木活字印本。

25

个等级从士人中选官，它以士人的籍贯、门第作为主要标准。这种选士方法，当时被称为门选，是整个南北朝时期取士、任官的最主要方法。根据门第来选官的最终结果是强化和保证了门第等级的尊严，防止低门第者通过认宗、联宗、联姻等方式挤入高门第，分享特权和既得利益。这种选官方法，既强化和巩固了门阀制度，也从制度上保证了士族内部按门阀上下、族望高低、势力大小来分配官职。士族内部各品级之间以及士族与庶族之间，等级森严，鸿沟难越。品级高的士族排挤、鄙夷品级低的士族，品级低的士族又排挤、鄙夷士族之外的庶族。所谓"上品无寒门，下品无势族"，就是当时社会的真实写照。因此，整个南北朝时期，为了选官便利和证明身份，无论是政府，还是豪门势族，都非常重视家谱的纂修。这就形成了中国谱牒史上公私修谱的第一个高潮。

《赖氏谱牒》上的赖氏始祖叔颖公像

造成南北朝时期国家和民间均重视家谱，形成我国家谱发展史上第一个高峰的原因，除政治上的选官之外，还有社会生活中的婚姻门第观。门阀制度形成后，世家大族不仅要保持政治特权，还要求保持婚姻特权，在婚姻对象的选择上，讲究阀阅相当，以保持贵族血统的纯粹。于是，士族与士族，庶族与庶族，上层士族与上层士族，下层士族与下层士族，南方士族与南方士族，北方士族与北方士族，中原士族与中原士族，少数民族汉化士族与少数民族汉化士族……都形成了各自的婚姻集团。不同等级家族之间的通婚行为是要受到社会责难的，其中最典型的例子，是南朝萧齐时士族王源嫁女给富阳满氏而遭到沈约的弹劾。王源是西晋右仆射王雅的曾孙，祖与父均官居清显之位，按沈约的话是，王源"虽人品庸陋，胄实参华"。富阳满璋之，家境殷实，欲为儿子满鸾娶妻。当时王源正值丧妻，且家贫，于是，动了将女儿嫁给满氏，得聘礼钱五万给自己纳妾的心思。为此，他还特地查过满氏家谱，认定富阳满氏是高平满氏满宠、满奋的后裔。满宠在曹魏明帝时任过太尉，其孙满奋西晋时为司隶校尉，满璋之和满鸾也有官职。可就是这样，还是不行。

沈约认为，富阳满姓，没有确凿的士族根据，满奋死于西晋，其后代在东晋没有显赫声迹，满璋之自述家世应该是伪造的，王源与之联姻，是唯利是图，蔑祖辱亲，玷辱士流之举，应该罢免王源的官，并禁锢终身。由此可看出，当时的士庶界限是何等分明。在北朝也有类似之事，北魏崔巨伦的姐姐"因患眇一目，内外亲类莫有求者，其家欲下嫁之。巨伦姑赵国李叔胤妻，高明慈笃，闻而悲感曰：'吾兄盛德，不幸早逝，岂令此女屈事卑族！'乃为子翼纳之。时人叹其义"。为了不使瞎了一只眼睛的侄女下嫁庶族，保住家族门第，不

《吴氏族谱》

惜牺牲亲生儿子的幸福，纳为儿媳。这种行为，在当时竟被视为义举。为了婚姻的门当户对，士族不仅重视自己的家谱撰写，同

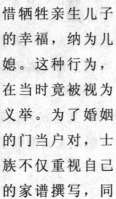

"谱牒"一词源于司马迁的《史记·太史公自序》："维三代尚矣，年纪不可考，盖取之谱牒旧闻，本于兹，于是略推，作《三代世表》第一。"《广雅》说："谱，牒也。"《玉篇》说："牒"为"谱也"。谱与牒是同义词。

时也注意对通婚对方家谱的考究，这在很大程度上也促进了当时的家谱繁荣。

门阀制度下的士族特权还表现在不服国家徭役上。为了摆脱繁重的国家徭役，不断地有人投献到士族家中充当私户，高明者则伪造家谱，冒充士族。这样的结果，是导致服国家徭役的人口越来越少。为了稳定政权基础，增加国家徭役来源，南北朝时期，政府不断地清厘户口，即厘改谱籍，清除冒充的士族。这也是南北朝时期政府重视谱牒，不断重修总谱的经济因素之所在。

形成士族自觉修谱的另一个原因，是士族间的高自标赏。晋室南迁后，北方士族随之而迁到南方的有百家之多，虽然他们与南方土著士族混居杂处，然并不合流，互相轻视，于是，就各自修谱自重，高标郡望，以区别于他支别派。留在中原的士族，也不愿与那些汉化的少数民族政权的士族相混淆，为保持和炫耀自身血统的纯净，亦竞相纂修家谱，以区别那些汉化了的少数民族的世家大族。这种南北之别，华夷之辨，可以说分别促进了南朝和北朝谱学的发展。此外东汉末年以来，一些大家族为躲避战乱之害，聚族而居，据险而守，出现了许多坞壁①，并逐渐成为一种重要的社会组织形式，形成了强大的宗族势力。为提高家族内的凝聚力，编修家谱也就成了很正常的事情。

由于家谱在政治、婚姻等方面作用的遽增，南北朝时期家谱得到了极大发展，政府设置"谱局"，专门

主我烝民莫匪尔极
终古蒙恩与天合德

后稷，姬姓，名弃，母姜原为帝喾元妃，传说履巨人迹而孕，遂生之，因初欲弃之，故名。周部族始祖，舜时农官，受封于邰。像载《历代古人像赞》，明弘治十一年（1498）刻本。

①坞壁：东汉末期，一些大家族为逃避战乱，聚族群居而建立的一种带有自卫、防御性质的建筑。

编修谱牒，中央政府和地方政府均设"谱库"一类机构，收藏谱牒，以备不时查验。整个魏晋南北朝时期，谱学更成为一种专门学问，而且还形成了几代传承的谱学世家，其中最著名的当推贾家，从东晋时贾弼，到其子贾匪之，孙贾渊，曾孙贾执，贾执之孙贾冠，一门六代，代有传人。另外一个著名的谱学世家是琅琊王氏，虽不是父子嫡传，但也是同一家族中，连续几代，代有名人。除此之外，著名的谱学专家还有曹魏时的管宁，西晋时的虞挚，刘宋时的刘湛，萧梁时的徐勉、傅昭，陈朝的孔奂、姚察，北魏的高谅、李神儁，北齐的宋绘等。对于谱牒，上流社会人人都须了解和研究，不然，不仅影响入仕、

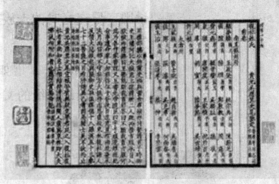

清·吴应箕撰《复社姓氏录》

婚嫁，即使一般的社会交往也难以进行。南朝时士人尤重家讳，如果你在某人面前偶尔提到他父、祖的名讳，那他当场会号啕大哭，让你下不了台。史书记载，刘宋时一位名叫王弘的人，也就是王氏谱学的创始者，"每日对千客，可不犯一讳"，传为一时佳话。萧梁时吏部尚书徐勉也是如此，不仅选官时"彝伦有序"，就连日常待客，也是应对如流，皆为避讳。这是南北朝时上流社会人士追求的一种境界，就连皇帝也不能例外。虽然北朝人相对而言不如南朝人那样讲究谱牒之学，但对于避讳也同样留意，不敢轻率造次。如北齐孝昭帝高演，"聪敏过人，所与游处，一知其家讳，终身未尝误犯"。皇帝尚且如此，大臣们则更不用说了。

　　为了能使家族等级区别清楚，南北朝时人们除了

编有本家族的谱牒之外，也编有如《百家谱》之类的郡姓、州姓谱，将本州、本郡的大小家族，三六九等地区别记录各自的世系。据萧梁时期阮孝绪的《七录》记载，当时的谱牒著作就达一千余卷。那时的寒门素族，如果要改变自己的社会地位，除了与士族攀婚之外，只有伪诈高门，诡称郡望了。他们通常买通谱学专家篡改谱牒，但此事如被揭露，在当时的处罚是很严厉的。南齐时著名的谱学家贾渊就因帮助一个叫王泰宝的人篡改谱牒，冒充当时的士族琅琊王家而被人告发，差点儿丢了脑袋。

南北朝时，家谱如此重要，因而，一切能证明家族身份、氏族等级的文件、资料，都一定要有世系的内容，流传至今的一些墓志铭和史书都不例外。尤其是北朝魏收所撰的位列封建时代二十四部正史之一的《魏书》，更是一部家谱式的正史，每一列传后，均附有子孙名字、官爵，最多的竟达百余人。《宋书》、《南史》、《北史》也都不同程度地存在着这种情况，而为后人所讥。南北朝时期的家谱现在已基本亡佚，这

炎黄二帝雕像

些史书为我们保留了一批相当完整的谱系资料。此外，南北朝时的一些注书也曾大量引用当时的家谱资料，如裴松之《三国志注》引用19种，刘孝标《世说新语注》引用达52种，由此亦可见当时谱书之盛。

隋唐时期，是中国古代谱牒发展的第二个高潮。隋

唐两代的统治者均出身于豪门士族，因而，对于谱牒维护统治者利益、巩固政权的作用非常清楚。隋唐时期，门阀制度也很盛行，但与南北朝有所不同，一是隋唐取士大多通过科举制度，不唯门第，与门第关系不大；另外，经过隋末农民起义的冲击，南北朝时的一些士族衰落了，消亡了，另一批军功贵族崛起，产生了一批新的豪门，构成李唐王朝的统治基础和主体。

《苏氏族谱》

为了维护整个统治集团的既得利益，巩固统治基础，唐王朝的谱牒修撰权基本为官府所垄断，政府设置了专门机构，一次又一次地组织编写了数部大型的谱牒著作。唐代政府修撰的谱牒，均为政治作用明显的姓氏谱和衣冠谱，比较著名的有《氏族志》、《姓氏录》、《姓族系录》、《元和姓纂》、《皇室永泰谱》、《唐皇玉牒》等，都是皇皇巨制。官修谱牒，成为一个十分有效的政治工具，以谱牒形式将各派政治力量的既得利益固定下来，调整了统治集团内部的利益关系。尤其是高宗显庆四年（659）修成的《姓氏录》更是如此，五品以上的官僚全部入谱，然后根据职位高低确定姓氏高低。这个谱牒的颁行，扩大了统治基础，提高了武则天的声望和地位，为武则天顺利获得政权奠定了基础。当然，大批五品以下的原士族不能入谱，自然口吐怨言，攻击这部新谱牒是"勋格"，也就是"职官表"，不足为贵。

谱牒在唐代政治生活和婚姻中仍有相当作用，尤其是在婚姻方面，因而，不仅官府修谱，评定姓氏高下，私人自修家谱的情况也很普及。据《新唐书·艺文志》

苏绰（498—546），字令绰，京兆武功（今属陕西）人。西魏大臣。官至大行台度支尚书兼司农卿。像载《澄江苏氏族谱》，清光绪二十六年《1900》忠孝堂木活字本。

的不完全记载，经过唐末及五代战乱所余的各类家谱仍达一千余卷。著名人物如刘知几、颜真卿等也都纂修了自家家谱。同时，还涌现了一批谱学家，初唐、盛唐时期，比较著名的有路敬淳、柳冲、韦述、李守素、李公庵、萧颖士、殷寅、孔至；中唐以后，有高士廉、柳璟、林宝等。还有一些虽不以谱学家知名于世，但他们的谱学著作仍有很大影响，如魏元忠、张钧、刘知几、李衢、李匡文等，在当时的社会政治活动中发挥着积极作用。只可惜唐代的各类家谱除了敦煌石室中还保留有若干残页外，早已荡然无存。从后人的记载来看，隋唐时期的新修家谱，主要记载家族世系和婚姻，对妻室家谱较为注意。到了唐代后期，家传的内容增加。在体例上，也有一些提倡"小宗之法"①，这对后代欧阳修、苏洵变革家谱体例应该说起到了一些启迪作用。

　　唐末黄巢起义，彻底摧毁了门阀制度。五代时期，征战不已，权贵者大多是靠战功而升迁，基本上没有什么显赫家世值得夸耀，再加上贵贱变化无常，更替很快，权贵者既不愿意，也不可能抽出时间来摆家世，

王安石（1021—1086），字介甫，小字獾郎，号半山，世称荆公，抚州临川（今江西抚州）人。北宋大臣，政治家、文学家。庆历间进士，神宗时为相，实行变法。谥文。为唐宋八大家之一。

排门第，所以，魏晋以来的政府谱学也就自然消亡了。

　　宋代是中国谱牒史上发生根本变革的时代。五代时期由于战乱频繁，使得历代所存各类谱牒大多荡然无存，并且，在那种社会环境之下，人口迁徙不定，生存时时受到威胁，各家族自然没有可能坐下来安安静静地

---

　　①小宗之法：家谱修撰中的一种方法，即世系只上溯到始迁族或五世祖。相反的为大宗之法，家族世系一直上溯到血缘始祖或受姓祖。

编修家谱。再加上统治者的不提倡，使得宋代谱学基本上是在一片荒芜中重新建立和发展起来的。这也是后代有不少人认为中国的家谱起源于宋代的主要原因之一。

宋朝建立后，取士继承了唐朝的科举制度，婚姻很少注重门阀，唐朝以前谱牒所能起的政治作用已基本消失，巩固统治用不着这个政治工具，于是，政府除了编修皇室家谱玉牒之外，已没有必要再设谱局来编修或收藏其他各种家谱，尤其是州、郡谱和私人家谱。这样，家谱的纂修一时衰落了。这种状况一直延续到宋仁宗皇祐、至和年间方才得到改变，位列唐宋八大家之中的欧阳修、苏洵不约而同地编写了各自的家谱，并提出了新的编修原则和具体的方法、体例，使得家谱以另一种面目逐步走向繁荣。

欧阳修在主持编修《新唐书》时就十分重视谱牒，专门在《新唐书》中设置了《宗室世系》、《宰相世系》，用以记录李姓皇族的世系和有唐一代369名宰相的世系。修定《新唐书》后，他发现自己的家族世系族人们都不太清楚，为了使族人和子孙能够了解祖先遗德，他采用了史书的体例和图表方式，将五世祖安福府君欧阳万以来本家族的迁徙、婚嫁、官封、名谥、享年、墓葬及其行事等，编成一部新型家谱。几乎与此同时，苏洵也编成《苏氏族谱》。二人都是使用"小宗之法"，都是以五世祖作为家族始祖。这是由于五

《孔子世家谱》

代以来，整个社会成员的政治、经济地位都不是固定不变的，一般家庭很少能够世代富贵，倘若追溯五世以上的祖先事迹，往往会碰到几世贫贱，族人脸上无光。因此，一般家族只好采用"小宗之法"，至于皇族，则可追溯数十百代，采用"大宗之法"来编修家谱。欧、苏二人又将自己对家谱编纂的有关见解写于家谱的叙、例、记、后录之中。他们的修谱理论和实践影响极为深远，后世尊以为法，不敢稍逾。

宋代以后的家谱纂修，已由过去的以维护门第为前提，以选举和婚姻为目的，即带有强烈的政治功能，转移到尊祖、敬宗、收族①方面，家谱的教化功能增强，因而，家谱的记载也由过去以姓氏、世系、仕宦、婚姻为主，扩展到整个宗族制度。由于尊祖、敬宗、收族能够提高家族凝聚力，而家族凝聚力的提高又是整个社会稳定的基础，为了社会的稳定和长治久安，也出于对维护封建政治和统治制度的考虑，宋代统治者积极提倡各家族自行纂修家谱。在政府的提倡和欧、苏谱例的指导与规范下，整个宋代民间新修家谱之风极盛，很多士大夫，如范仲淹、王安石、司马光、曾肇、许元、黄庭坚、文天祥等，对家族修谱之事热情很高，并亲自主持自己家族家谱的纂修

皇帝的家谱（玉牒）

或替别的家族修谱，创制、完善谱例，且发表自己的见解。在宋代，有关谱学的理论著述中，除了欧、苏之外，最著名的当属郑樵的《通志·氏族略》。这些理论和实践，指引着两宋私人修谱事业蓬勃发展。惜时代久远，宋代所修之谱如今存世极微，我们只能从宋人文集的相关论述中大致了解和掌握宋代谱学的基本成就。

①收族：即将族人收于一谱，以增强家族的凝聚力。

辽、金、元三代的家谱，如今已基本失传，见于目录记载的也非常之少。尤其是辽、金两代的家谱，见于其他文字记载的更是非常少。而元代家谱虽流传甚少，可见于各种文字记载的却是不少。元代修谱之风极盛，这与在异族统治下民族意识的觉醒不无关系。元代的家谱体例大致按照欧、苏体例，但内容上有所变动与增加，比如有些家谱增加了僧道不准入谱的规定等。由于元代家谱编制的目的是在异族统治下的加强收族，而这种收族所导致的民族意识和宗族意识都会比较强烈，表现在家谱的纂修上，在世系追溯方面就较欧、苏"小宗之法"的仅记五世有所突破。据有关资料记载，元代家谱中，世代追溯最多的达七十多代，其准确性如何，可以讨论，但这种现象背后的文化上的意义，却也值得探讨。

明清两代的家谱编修达到了中国封建社会的最高峰，各家族对编修家谱均非常重视，许多家谱一修再修，多次续修。现在我们所能见到的古人家谱，大多是明清两代纂修的。明清两代家谱编纂的目的与宋代一样，主要是为了记录家系、和睦家族、教育族人、提高本家族内部凝聚力和在社会中的声望与地位。因而，明清两代的家谱内容比宋代增加了许多，体例也更加完善。为了抬高和标榜家族高贵，很多家谱采用了"大宗之法"，动则上溯几十代，上百代，必定以古帝王或名人为先祖。由于明清两代封建宗法制度得到空前加强，因而，明清两代家谱中除将家族世系排列清楚，增加了传记、著述之外，又大量增加了有关反映宗族制度的内容，如宗规、家训、祠堂、祠产、祭田等，人物的记述也增加了子女、婚嫁、岳家等方面的情况。为了隐恶扬

善和保持血统纯净，还规定了何种人物不准入谱。家谱的行文重视文采。为了使家族世系的延续得以永远记录下去，还规定了续修家谱的年限。此外，家谱的政治化倾向得到加强，其表现最突出的是有些家谱将历代皇帝的上谕收入谱中。所有这些，使得明清时代的家谱纂修更加系统，价值更高。明清两代的家谱体例与内容，基本上奠定了民国和当代家谱修撰的基础。

明清两代所修家谱中，还出现了许多统贯分布于各地的各宗支于一谱的统宗谱或会通谱，这是随着全社会修谱的普及和家族人口迅速繁衍，于明代中叶开始流行起来的。统宗谱的规模一般都很大，如明嘉靖年间张宪、张辉阳主修的《张氏统宗世谱》的内纪部分，记载了张氏遍布全国15省、1470多个点的117个支派，实为洋洋大观。在篇幅和收录范围上能与之相媲美的，大约只有民国年间孔府所修的《孔子世家谱》了。

明清两代，尤其是清代，还涌现出一批谱学专家和大量的谱学专论，其中最杰出的当属清人章学诚，在他的有关著作中不仅阐述了家谱的起源、作用，还具体分析了以往家谱理论和家谱实践的不足之处，提出了自己的看法。章学诚的家谱纂修理论，对清代以至民国的家谱纂修影响很大。

清代家谱中，满族人的家谱也很有特色。旗人袭爵、入仕都要查验家谱，因此，满族人纂修家谱的积极性还是很高的。清代皇族的家谱——玉牒，可以说是家谱发展史上最系统、续修次数最多的一种，二百多年间，一共修了28次，平均不到十年就续修一次，可算作家谱续修之冠。

内容与结构

古代的家谱在选官、袭爵、婚姻、社交、财产继承、睦族等方面都有着重要的作用。因而，在编修家谱时，都应把这些方面的内容收录进去，以传示时人和后人。从家谱产生之时起，三千多年来，由于时代的不同，家谱内容的侧重也有所不同。上古时期的家谱，仅为君王诸侯和贵族所独有，家谱的作用仅为证明血统，是为袭爵和财产继承服务的，关于这点，可从甲骨实物和《史记》中的有关部分得到证实。先秦时期的家谱特别重世系，家谱的内容也比较单一，仅为世系。魏晋以后，选官、婚姻以至社会交往均看门第，这样一来，

《徽州胡氏家谱》

家谱在政治生活、经济生活和社会生活中的作用就大大增强，家谱的内容也相应比以往有所增加。魏晋以至唐代的家谱现在已基本无存，从现存的其他一些著作所引的零星文字和后人再整理的资料来看，仍可了解到一些基本情况。魏晋至唐代家谱的内容大致包括：郡望、源流、家族世系。当然，首

《黄氏宗派世系图》

先书写的还是姓名，姓名包括字、号，还包括小名、异名、别名，然后记载生平，官爵（即使没有做过官，是处士也记录上谱），生卒年及特殊死亡原因（如何时、何故遇害等等），婚姻状况（妻妾姓名、排行，岳家门第，离、退婚等等），兄弟姐妹及子女的做官、婚配情况，以及著述、居住、迁徙、家族支系、坟墓等等，其中尤以地望，家世，官爵，自己及兄弟姐妹、子女的婚配等情况，记录得比较详细。

宋代以后，家谱在政治生活中不再发挥作用，家谱的作用转移到尊祖、敬宗、睦族上，因而，家谱的内容也发生了一些变化。宋元时代的家谱流传极少，明代的家谱现在保存较多，分析一下，宋代以后家谱基本上去掉了关于岳家的内容，而把记录的重点移到有关祖先、世系、恩荣、祠堂、居住、田产、坟墓等方面，尤以子嗣和与血统有关的内容记载特详，但如岳家家世显赫，也可写上。宋代以后家谱的内容通常包括：1. 族姓源流，一般总要上溯到家族的始祖，大多上托帝王、名人，以表谱形式，列出家族流传世系。2. 恩荣，记录本家族列祖列宗的诸如科举、仕宦以及受到政府褒奖等情况，即使没有做过官，也要写上处士，实在没有可写的，年纪活得大，则写上耆寿、寿妇等字样，努力使自己的家族门楣生光。3. 对每一个入谱之人，尤其是家族的重要人物，一般都写有传记，详细记录他的名字、号谥、婚姻、生死经历、登谱之年、妻妾、节孝，其中对子嗣记录得特别认真，严格掌握入谱标准，对诸如养子、私生子、女儿、11岁以下死亡的幼殇以及入赘等情况，特别慎重，以防出现"冒宗"、"乱宗"之事，保证血统的纯净。4. 祖宅是先人们居住、生活过的地方，祠堂是祭祀祖先的场所，祖茔是列祖列宗长眠之地，尊崇祖先对于团结族人有着极大的意义，故对祠规、祠记、祠产、义庄、义田、家礼、家训及祖茔、祖屋的地形图等也记载较详。5. 最后是家传，一般收录有声望的先人的墓志铭、行状、寿序、年谱、像赞等传记资料。有些家谱后面还专列著述或艺文一节，收载家族先人的著述、诗文等。

孔林为孔子墓葬所在地，位于曲阜市城北1.5公里处。墓园古柏参天，周以围墙，占地面积200万平方米。园内有清代建筑的观楼和享殿及宋代雕刻的石人、石兽等。自孔子以后，孔氏历代子孙亦多从葬于此。

中国古代的家谱，因为时代不同，作用不同，因而，记录的内容也不完全相同，大致看来，越到后期内容越多，越到后来记录越详，与之相适应的是，家谱的格式在不同时代也不尽相同。

商周甲骨、青铜家谱仅录世系，格式上是每人一行，说明关系，较为简单。汉代的家谱格式大致有三种：一为横格表制，分代分格，按时代顺序排列，《史记》中有关各表是其代表；二是以姓名为单位，先叙得姓起源，再述世系和官位；三是一贯连写，汉代流传至今的两块碑文《孙叔敖碑》和《三老赵宽碑》是其代表。魏晋南北朝是分行写，或连行写，每代与前代空一格，这从现存北魏薛孝通贶后券、彭城王元勰妃李媛华

墓志和刘宋临澧侯刘袭的墓志就可看出。不同的是后两块墓志不仅记述了自家世系，而且还详细记述了亲戚的谱录，这在后代是不可思议的，但在南北朝时期却是司空见惯的。唐朝的家谱，大多为合谱，一般是以姓为单位排列连写。宋代以后，又开始分代分格。明清时代的家谱，大多取法于宋代家谱，卷首列世系总表，以备检查，然后每人半页，依辈排列。

家谱修撰，到了明清两代，其结构已基本定型。明清两代，家谱的格式大致排列如下：

1. 谱序：有自序和他序的区别，其内容为叙述修撰缘起，修谱目的，本谱的修撰历史、过程与内容大要，修谱的人员构成，修订年月，家族的渊源传承和迁徙经过，郡望，以往历次修谱情况以及对谱学理论的认识等，作用是宣扬本谱主旨，颂扬祖德，使子孙读后能敬祖向善。如果本谱是续修之作，那么，除收载新写的序

祭祖宗

外，以往历次修谱的旧序也一并收入，对于续修次数多的家谱，有时新旧序能多达数十篇。此外，为了增光族望，还会专请当代名人作序，并将以往名人为列谱所作的序也依时代先后排列收载。谱序在有些家谱中亦有别称为"引"、"谱说"、"谱铭"、"谱券"等。

2. 题辞：不是每部家谱都有，大多是前代皇帝或名人为本家族或家谱的题辞，放在显著位置，目的是以此炫耀家世。

3. 凡例：也有称谱例，主要是介绍本谱的纂修原则与编写体例，收录范围，结构特点，各种著录规则，本谱中各类目的立类理由，适用范围，各种可入谱和不可入谱人物的标准，以及诸如如何避讳等行文要求，中心是强调家族血缘的重要性和谱书记述的真实性，内容较丰富，少则几条，多则几十条。

《朱子家训》

4. 谱论：也称谱说、援古，主要收录前代名人学者谈论谱学的简短语录，其中尤以欧阳修、苏洵、朱熹、程颐、曾巩等宋儒语录最为普遍，也有将明清两代皇帝的谕民榜、谕民诏令载入谱中，作为另一种类型的谱论。

5. 恩荣：也称告身、诰敕、赐谕、公文，集中记载历代皇帝和地方官员对本家族或某些成员的褒奖和封赠文字，包括各种敕书、诰命、御制碑文等，有的还包括皇帝或地方官员为本家族题写的各种匾额，目的是通过重君恩来彰明祖德。

6. 图：明清时代家谱的卷首，多数都有图版，内容

内容与结构

不完全相同，一般总具有祖庙、祖茔、祠堂以及牧场、水源或住宅四至五图。

7.节孝：宋代以后至明清，特别重视节孝，家族中出了节妇孝子，是全家族的光荣，因此，很多家谱都在首卷立节孝一章。

8.像赞：将本家族先人中显达之人，画出其仪容，有些还写上赞语，置于卷首，以求达到光大族望，熏陶后人，使"后世子孙起敬起孝，且可借为感奋"的目的，有些还刊载一些先人遗墨。

9.考：有疑则考。一个家族，存在几百年、千余年，自然有些事情不太清楚，可修谱时又必须写上，因此，只得进行考索。通常需要进行考证的，大抵有如下内容：姓氏来源、得姓始末、始祖、始迁祖、支派、迁徙经过和原因、如今分布、某些世系、仕籍、先人科名以及祠庙、祖茔等，尤其是本支的迁徙、定居历史和各支外迁史比较重要，其中以先世考最为重要，也最为常见，也有的家谱将这些内容称之为谱镜、谱撮。

10.宗规家训：可单称为族规、族约、祠规、祠约、家规、家约、家戒、家法、家议、家典、家范、家训、家箴、规约、诫谕、宗禁、祖训、规条，是各家族自己制定的约束和教化家族成员的家族法规，内容广泛，基本上为修身、齐家、忠君、敬祖、互助、守法等方面。其中一部分为规约，族人必须遵守，如有违犯，则以家法制裁。另一些为训语，主要为劝诫的内容，教人做人行世的道理，这部分通常称为家教。

祖宗石像

还有一部分为庙规，也称家礼，为家族祭祀礼仪，如祖庙、祠堂组成，祭祀规矩、程序，婚丧仪式等等。这部分内容是封建伦理道德在家谱中的集中体现。

11.祠堂、祠产、坊墓：记录家族祠堂的历史与现状、规制、神位、世次、祠联、祠匾、配享、崇祀、管理，以及祠产、义庄、义田、祭田的管理和牌坊、祖茔及各房墓地的分布与坐向等。

12.派语：也称字辈，为记载族人的排行字语。封建时代，家族排行都是有一定寓意的，大多是由皇帝、名人、祖先确定，子孙后代一代一字作为排序。如孔子后代排行字语为：希、言、公、彦、承、宏、闻、贞、尚、衍、兴、毓、传、继、广、昭、宪、庆、繁、祥、令、德、维、

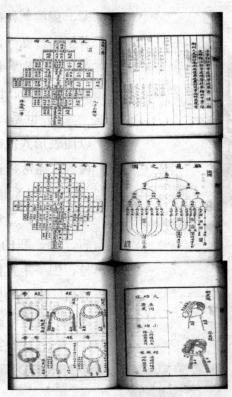

五服图

垂、佑、钦、绍、念、显、扬，就是明清两代皇帝赐予的，孟、曾、颜三家亦一体遵行。字辈原为汉人专利，清代以后也曾为满族人采用，如清代皇室起名原无字

千字文

辈，康熙朝始确定字辈，皇子名首字用"胤"，皇孙名首字用"弘"，二字用"日"旁，乾隆、道光、咸丰三朝，又分别各增加四字，形成"胤、弘、永、绵、奕、载、溥、毓、恒、启、焘、闿、增、祺"14代字辈。

13.世系：也称世表、世系表、世系图、根图，是以图表形式反映家族成员的血缘关系，这是家谱的主要内容，通常是五代为一表。

14.世系录：也有家谱称世序、世系考、传实、行实、世录，是对世系表的解释，即记录一个人生、老、病、死、葬的简历，内容包括父名、排行、名、字、号、生卒年月日时、享年、官职、功名、德行、葬地、葬向、妻妾的生卒年月日时、封诰、岳家、子女、女嫁之人，有无富贵外孙等，特别重生死、血统。

15、传记：与世系录有点相似，不同的是世系录是

《欧阳宗谱》

本家族每个男性成员均有，而传记类则是家族中有功名贤能、特殊事迹、丰功传业、名可行世之人方可入传。形式包括行状、墓志铭、神道碑和年谱等多种。传记又可分为内传、外传两种，内传为有懿行的女子传记，外传为男子传记，可由后人写，也可请当代名人写。也有的按德行、孝友、烈女、仕宦等分类排列。

16.仕宦录：也称荐辟系、科第录，用以记载族中历代及第入仕族人的名单、履历、科名、政绩、功勋、著作等。

17.志：家谱中另一种比较重要的内容，大多为家

族中专门资料的汇集，如科名、节孝、仕宦、宗行、宗寿、宗才、封赠、族内学校、学产、历代祖屋、祖茔、祖产分布等等。这是明清家谱取法于史书中的"志"，即专门史而成。

18. 杂记：其他类不收或遗漏的均在此处叙述，大多为本家族的一些专门资料，如男女高年、争讼、田产、茔地的契约、合约、合同、诉讼文书等，范围很广、很杂。

19. 文献：也称著述、艺文、文苑，收载的均为本家族先人的著述，其中包括各种家规、家训、家范、墓志、行状、诗、文、帖、简、奏疏等。有的全收，有的仅开列目录。

20. 修谱姓氏：一般包括两项内容：一为领衔、编纂人姓名，一为捐献经费人姓名；均列在谱末。

21. 五服图：五服是封建家族法规的重要依据，很多家谱后附五服图，目的是为了令族人重视和了解，不得混乱。

22. 余庆录：家谱修成，末尾照例留几页空白纸，上书"余庆录"，意为子孙绵延，留有余庆。

23. 领谱字号：为了防止家谱外传，一般在家谱后都有顺序号，或用一段特殊文字，如撷取《千字文》中的一段等，然后登记注册，某人领某号，定期抽查。

此外，在有些家谱中，还有一些特殊的内容，如某些家谱专设义谱一类，收载族内各支所收异姓养子、义子的世系。有些家谱中收录有家族中重要人物的年谱资料等。还有些家谱则在谱末专辟"修谱志"、"附记"等篇章，专门记述本次修谱的经历和遇到的问题等。也有的家谱会注明修谱时的收支账目。近代一些家谱后

面，有的还附有一些统计图表，如人口等。

　　以上所说的家谱的各种格式，并不是每部家谱都完全具备的，由于时代、地区、家族的差异，所修成家谱的详略程度不会完全一样，其余诸如格式分合、排列次序也不会都完全一致，但总体来说，基本上还是按照上述次序排列的。

字辈与堂号

字辈与堂号，是家谱中比较受人关注的两个内容。相对而言，字辈更多地受到族人内部关注，特别是在修谱时，入谱人名大多都要按字辈排列。而堂号则除了受到族人的关注之外，还受到外人，尤其是家谱整理和研究者的重视，成为外人研究或著录该家族历史与现状的一个重要内容。

　　字辈，也称行辈、行第、班辈、字派、班派、派语等。家族中同辈人为了体现宗族关系，通常在起名时需找一个共同用字，不同辈分的共同用字排列起来就形成了这个家族用以标明世系次第的字辈。字辈的形成是为了分尊卑，别长幼。此处的尊卑并不是指政治地位上的尊卑，而是指家族内部辈分的高下。字辈的使用，对一个大家族，尤其是像孔门这样绵延数十代，繁衍达数十万的持久型家族来说，就显得尤为重要。由于字辈的这种能够分尊卑、别长幼的功能，也就为其他一些需要分尊卑、别长幼的群体所借鉴，如宗教教派、社会帮派、武林门派等。这样一来，字辈这种原来纯粹为家族内部使用的文字形态也就有了更大的适用范围。

舜（远古），即帝舜，姚姓，一作妫姓，名重华，号有虞，史称虞舜。传说中古帝王，原始社会部落联盟首领。画像藏台北故宫博物院。

　　字辈的产生，有人说起源于汉代。经过考察，我

字辈与堂号

中国的家谱

们认为，汉代，甚至在先秦时期，即已出现了一些在名字用字上反映同辈关系的萌芽或苗头，如选共同用字或在偏旁部首上体现出来。然而，这只能是萌芽，它离真正有目的、有意识地使用共同字来区别辈分，进而预先选取一定数量，且有一定意义的"吉字"作为一种规定性、后代子孙取名时必须遵守的字辈，尚有相当大的距离。再说，汉魏时期以至以后相当一段时间内，时人取名多为单字，字辈的区分更难明确。更有甚者，东晋时大书法家王羲之父子几代名中均有"之"字，字辈不仅无从谈起，而且还从根本上违反了后世字辈的要求。所以说，这一时期，即使有字辈的痕迹，也是处于一种自发的萌芽阶段。

隋唐时期，由于这一时期的家谱资料基本上没有留传下来，因此，无法对此做出准确判断。不过，从一些现象中，我们还是可以感觉到，这一时期，某些家族开始出现了同辈在取名时使用共同用字的现象，如唐代著名书法家颜真卿，其堂兄弟中著名者有抵抗安禄山的名将颜杲卿和颜曜卿、颜春卿等，大家都用一个"卿"字。颜真卿的两个儿子颜頵、颜硕都有"页"字偏旁，似乎也合字辈要求，但其曾孙名弘式，与颜杲卿曾孙名纵览之间则看不出有什么联系。但这个"卿"字，到底是如何确定下来的，确定时对于不同辈分的用字是否都已确定，同时确定了多少代，这些都无法考定。不过，颜氏家族在某些代有字辈的规定，则是确定无疑的，只不过字辈要求不如后

颜真卿（709—784），字清臣，小名羡门子，别号应方，京兆万年（今陕西西安）人，祖籍临沂（今属山东）。唐大臣，书法家。开元间进士，肃宗时封鲁郡公，世称颜鲁公。

代规范罢了。颜氏如此，其他家族也必有使用字辈的。

据笔者读书的一孔之见，明确确定字辈的记载是在宋初。宋太祖赵匡胤在"玉牒大训"中提出，赵氏族属虽众多，但多数居他邦，导致疏远，"因无统序，昭穆难分，纵然相遇，亦若途人，心实有憾"，于是，在乾德二年（964）下诏，除去已早逝无嗣的兄曹王匡济、弟岐王匡赞之外，余下的自己与晋王光义、魏王光美三支，分为三支派，各立14字，以别源流，以序昭穆，以达到"朕族无亲疏，世世为缌麻"

赵匡胤（927—976），即宋太祖，又称艺祖，涿州（今河北涿县）人。宋朝建立者。策动陈桥兵变，黄袍加身，即皇帝位。960—976年在位。

的目的。方法是后代取派中一字，另外再随便选取一字成为双字名。太祖赵匡胤派的14字为："德、惟、从、世、令、子、伯、师、希、与、孟、由、宜、学"；太宗赵光义派的14字为："元、允、宗、仲、士、不善、汝、崇、必、良、友、季、同"；魏王赵光美派的14字为："德、承、克、叔、之、公彦、夫、时、若、嗣、古、光、登"。有意思的是，宋代诸帝，都有改名的习惯，开始的名字都还基本按字辈，一成年，又都改成自己中意的名字，而且多单字。这些字辈用字，赵氏后代也有变更。

皇家的提倡，必然会给社会带来示范作用，宋代各家族使用字辈的理应很多，然限于目力所及，不敢妄言。元代的情况也不清楚，但字辈的影响必然存在。到了明代，字辈的使用进入了相对成熟、相对规范的时期。明朝的玉牒如今存世极少，无法得窥全貌，但从皇

帝名字中仍可看出一些很有意思的内容。按理，字辈的使用，通常是同辈共用一个字，大多在中间，另一个字则自便。而明朝历代皇子的名字，第二代均为单名，"木"字偏旁，这符合朱元璋起名以五行为偏旁的原则，可从第三代也就是成祖朱棣之子始，则用双字名，并有字辈，这个字辈是怎么来的，已不清楚。经过归纳，这个字辈依次为"高、瞻、祁、见、祐、厚、载、翊、常、由"。有意思的是第三字仍然以五行为偏旁，仍按火、土、金、水、木排列，如仁宗高炽、宣宗瞻基、英宗祁镇、宪宗见深、孝宗祐樘，另一轮为武宗厚照、穆宗载垕、神宗翊钧、光宗常洛，熹宗由校。这种字辈的用法，在其他家族尚不多见。

判定明朝是字辈使用进入相对成熟时期的另一个理由，是封建社会各家族中最有影响的家族字辈——孔府字辈就是此时被确定下来的。早在元代中期，第五十四代衍圣公孔思晦规定，凡五十四代孙，均以"思"为派，"思"以下为"克"字，这样，就有了字辈的萌芽，但还不是真正意义上的字派，因为五十六代就没有要求，衍圣公名孔希学，五十七代衍圣公又变成单名，孔讷。明朝初年，有说法是朱元璋，也有的说法是建文帝，赐孔府自五十八代之后八代用字"公、彦、承、弘、闻、贞、尚、胤（清代时因避雍正皇帝讳，改为衍）"，孔府自己再加上五十六代的"希"和五十七代的"言"字偏旁，形成第一个十代字辈用字"希、言、公、彦、承、弘、闻、贞、尚、衍"。到明天启年间，这10个字已不够用，由六十五代衍圣公孔胤（衍）植奏请皇帝，又续上10个字"兴、毓、传、继、广、昭、宪、庆、繁、祥"。清道光年间，经朝廷同意，又续10

个字"令、德、维、垂、佑、钦、绍、念、显、扬"。进入民国后，七十六代衍圣公孔令贻于1919年咨请北洋政府核准后，又制定了20个字辈用字"建、道、敦、安、定、懋、修、肇、彝、长、裕、文、焕、景、端、永、锡、世、续、昌"。这样一来，孔府就有50个字的字辈用字。孔府的字辈大致有如下几个特点：1.均是吉字。2.颁布都经过政府。3.全族人的取名都必须按照字辈，这从孔府历次修谱前发布的榜文中明确指出的凡不循世次，随意取名者，概不准入谱，即可看出取名按字辈的严肃性。4.孔府的字辈，不仅孔氏族人使用，就连孟、曾、颜三大家族也都照行不渝，四个家族共同奉用一套字辈，这在中国历史上也是唯一的。

明清之后，字辈愈加得到各家族的认可，许多家族都形成了自己家族的字辈。字辈都是由吉利和吉庆的单字组成，一般是5的倍数，连接起来，朗朗上口，就成了带有一定意义、反映一定情怀、体现本家族一定价值取向和对子孙殷切期望的特殊的五言体诗。当然，也有4和7的倍数，形成一首首独特的四言、七言体诗。

不同时代的字辈取字，所追求的内容多不相同，这也就形成了字辈的时代特点。封建时代，人们被灌输的是忠孝节义、忠君孝友、光宗耀祖的思想和伦理道德，这就有了诸如"廷岁约用，惟君仕允"；"忠厚传家久，孝廉布四方，节全是吾本，义字万世传"；"光昌兴宗德，富贵古流传"；"绍庭为国瑞，光彩振家声"；"世业绍宗先，忠信立之本，仁义致胜全"等字辈。还有一些能够看出字辈制定者的社会责任感和追求和平的向往，如"立志守端方，士卫保国光"；"万世愈昌宁，至道登朝贵"等。民国年间，则有"文明

到了开泰远"，"忠贞爱国"等。这在除《孔子世家谱》之外的国内其他最有名的家谱中同样可以看到，如《韶山毛氏族谱》的字辈为："立显荣朝士，文方运济祥，祖恩贻泽远，世代永承昌，孝友传家本，忠良振国光，起元敦圣学，风雅列明章"。毛泽东为十四世"泽"字辈；其父毛贻昌为十三世"贻"字辈；祖父毛恩谱为十二世"恩"字辈。另外，《武岭蒋氏宗谱》的"行第歌"中自二十五世为："祁斯肇周国，孝友得成章，秀明启贤达，弈世庆吉昌"。蒋介石谱名周泰，为第二十八世；其父蒋肇聪，二十七世"肇"字辈；子经国、纬国，"国"字辈；孙孝文、孝武、孝勇、孝章，为"孝"字辈。抗战胜利后，则有"实行宪法，民心咸悦，安休富强，永保华国"等字辈。到了当代，人们的追求有了更大的变化，也就有了全新内容的字辈用字，如1998年川渝联宗《徐氏族谱》中提出了新的40字新字辈，照录如下："华光普照明，东海映太平，茂志泽道远，文武显龙廷，福全增富贵，科学振嘉兴，庆恩育英杰，承先世代荣"。在传统的意义上增加了新的追求，反映了时代的特征。

《徐氏族谱》

字辈除了具有时代特征之外，有的还具有地域特征。张仲荧、张汝宜二位在《四川族姓之班辈检讨》[①]一文中，就提供了一些带有较典型地域特征的四川各家族字辈。四川各家族，多为元明清三代自外省迁入，迁入始祖大多为贫苦之民，没有文化。入川之后，渐渐致

①《谱牒学研究》第四辑，42页。

富，文化也随之提高，开始建祠修谱，拟定字辈。这些字辈用字，除了具有字辈用字的一般特征之外，还有一些其他地区所未见的内容，如以水、土择字，"沐浩泽汞流江汉，永源治济津清灌"，"堙堞堤塏，坡坤垠坦，坩城垛基，坚埴培垒"。有许多家族定字辈时多为40字，暗含三十六天罡加四象，还有的字辈用字按五行顺序排列，也有的用字暗含天干、地支，有的则连接原居住地与今居住地。最为特殊的是朱氏族谱，谱中男女采用不同字辈，男子为"光观上国进，世笃绪忠贞，奇才立大志，德振焕家声"，女子为"贤良慈惠著，淑慎幽闲月，静一端庄素，至性赋体纯"，男子要求"奇才立大志"，最终能够光宗耀祖，而女子则要求"贤良"、"端庄"，对族中男子、女子的不同期待，跃然纸上。

《完颜氏家谱》中的祖先画像

　　字辈，虽然承载了许多文化的、价值取向上的、伦理的内容，但究其本质还是一个家族的内部机密。除了孔府作为一个显族，带有公共家族意味之外，其他的家族一般都不太愿意将字辈告之别人，以防冒宗等一些不愉快事情发生。这从江西师大历史系教授梁洪生先生的一个小经历即可看出，当年梁先生在赣中南某地，曾为一黄姓乡民讲解过他的家谱内容，分手后，这位黄姓乡民又跑回来，很认真地叮嘱说："不要把我黄姓的字派告诉别人。"

　　少数民族原本命名不用字辈，随着汉化程度的提高，开始出现了字辈。如满族，早期命名并没有用字辈区别长幼的，原来的汉名都是满文音译，康熙时期才开

始讲究子孙的字辈用字或用偏旁区别名字，以此来明宗支、世次，别关系亲疏。乾隆时期，宗室子弟繁衍日多，根据他的安排，康熙皇帝玄烨的直系，自他而下，用"永、绵、奕、载"四个字作字辈。道光七年（1827），又续了"溥、毓、恒、启"四个字。咸丰七年（1857），再续了"焘、恺、增、祺"四个字。由于"绵"字辈之后，近支宗室迅速发展，宗支日渐增多，因此，又在名字的第二个字用偏旁区别远近，直系中"奕"字辈第二字均用"言"字偏旁，如"奕䜣、奕谅、奕䜣、奕譞"等，"载"字辈均用"三点水"偏旁，如"载沣、载涛、载漪"等，"溥"字辈均用"单人"偏旁，如"溥傑、溥儒、溥侗、溥佐"等。皇室如此，旗人自然纷纷仿效，如民国修《马佳氏族谱》"定世字"规定的字辈为："天经国纬，祖德宗功，嘉猷懋绩，宣勤效忠，钧衡鼎笏，代有传人，显扬蕃衍，承泽存仁"。文后小注说："以上三十二字自二十世起，凡我苗裔，一代用一字以纪事，男女一致，遵守排用，……不得任意更改，以免混乱。"此外，其他如同治年间东北满族人洪锡英所修《洪氏族谱》以及《新修富察氏支谱》，也都明确列有相应的字辈。

满族以外的少数民族也有类似现象。如福建的惠安回族郭氏第十一世至四十二世的字辈为："瑞天定朝，清廉启国，家修廷献，文明恒作，必有先成，用垂式谷，鸿声骏采，以介景福"。南安蒙古族黄氏，以及福建畲族的某些姓氏，也都拥有字辈，有的还达到一百世。此外，在广西罗城仫佬族银氏、罗氏家谱中，也都使用着字辈。这不能不说汉民族字辈文化影响的广远。

除了家族需要用字辈以分尊卑、别长幼，在一些宗教宗派和江湖门派中也同样如此，其取字方式同样反映了他们的追求与本宗派的特点。青洪帮是这样，道教、道教某些宗派也是这样。如四川青城山属于全真道龙门派丹台碧洞宗的常道观的字辈为："道德通玄静，真常守太清，一阳来复本，合教永元明，至理宗诚信"。其他各派大多也有，以致中国道教协会所在的全真道第一丛林——北京白云观就专门收藏有《诸真宗派总簿》，内里基本收全了各宗派的字辈。游方道士

《艾氏家谱》

来此挂单，必须背诵本宗派谱系，说清本宗派源流，否则，就有被视为冒充道士的可能。因此，在有关道士的日常功课中，就有背熟本宗派字辈这一条。

地处嵩山的少林寺，为禅宗祖庭。据寺内《释氏源流碑》记载，元代雪庭福裕禅师立曹洞根本一宗，并预先排定70字作为字辈，以供后来僧人按规定取法名，定法裔辈数高下。这70字依次为："祖慧智子觉，了本圆可悟，周洪普广宗，道庆同玄祖，清静真如海，湛寂淳贞素，德行永延恒，妙本常坚固，心朗照幽深，性明鉴宗祚，表正善喜祥，谨悫原齐度，雪庭为导师，引汝归铉路"。现在少林寺的方丈永信禅师为第三十三代"永"字辈。

普通家族的字辈可以防止冒宗，这些特殊宗派的字辈也同样具有这样的功能。比如曾名噪一时的海灯法师，自充少林正宗，师父为少林巨擘汝峰大师，

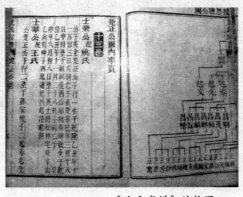

《艾氏家谱》结构图

可从少林字辈中我们即可得出这样的结论：这不是真实的。因为"海"是第二十五代，而"汝"是六十七代，

中间相差四十多代；再说"海"字辈是二三百年前的，而"汝"字辈则至少六七百年后方才会出现，怎么也不可能出现几百年前的徒弟拜几百年后的师父这种荒唐事。海灯如此而为，只能说明他缺乏这方面的常识。他的少林身份，自然也就是一场闹剧。

堂号，实际上是祠堂名号，是一个姓氏或家族的标志和代表，标志着血缘、历史和荣誉。堂号出现最多的是在祠堂，通常还伴有堂联。此外，也还出现在家谱、神主或墓碑之上。

家族祠堂使用堂号起源于何时，已不可考。但堂号的来源，还是能够依稀辨别出，大致可以上溯到上古的氏族公社时期，每一个氏族大多都有自己的名称和徽号。近一点也可追溯到隋唐时期的文人以堂命名的室名、书斋名和对郡望的推崇。从现有文献看，唐代文人为抒发情怀、展示情趣而喜欢选取若干文字，加上堂字，以作为室名或斋名。这在中唐以后，成为一时风尚，其中著名的有杜牧的

祖宗画像

"碧澜堂"、元载的"元晖堂"、裴度的"绿野堂"等。宋代更是普遍，据陈乃乾《室名别号索引》记载，

宋人使用堂字的室名就有数百个，这其中，有不少就直接被后世作为家族堂号使用，如尤袤"遂初堂"等。在唐代，文人好标郡望，成为一时时尚。郡望也称地望、族望，以致有"爵位不如族望"的说法。曾有位名叫李稹的，官至怀州刺史，在给人写信时，也只称陇西李稹而不称官衔。更有甚者，韩愈的家乡据今人考证为河阳（今河南孟县），但仍自称昌黎，因为这是郡望。郡望也是后世各宗族所标堂号的主要来源。

一套老官宦家谱

堂号中所使用的郡望，实际上是郡名或郡号，如果严格地考察一下，就会发现，这些郡号除了有相当部分是郡名之外，其中亦掺杂有诸如诸侯国名以及府、州、县名。郡是秦、汉时期行政建制。古人郡望意识的高涨在很大程度上与政治因素有关。郡望大致可以分为两个方面：一为发祥之郡，一为望出之郡。早在汉代，实行郡国察举，曹魏之后，通行九品中正制，晋代的郡公郡伯制，都以郡中豪门大姓作为选官用人的标准。传袭日久，势必族大势盛，这样一来，就形成了一些地区成了某些姓氏或家族的发祥地。古人好古，沿用旧名，即郡名，这就是发祥之郡的郡号。随着时代的发展，一些姓氏或家族从发祥地迁至他郡，历经传衍，又成为该郡的望族巨室，这些郡于是就成了该姓氏或家族的望出之郡。当然，也有后人不明，误将发祥地混同望出地。发祥之郡与望出之郡，合称为郡望。

湖南《宁乡南塘刘氏四修族谱》

郡望的普遍流行，是在北朝时期。北魏孝文帝改革，推行汉化，令胡人改姓汉姓，鼓励胡、汉通婚。与

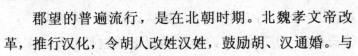

字辈与堂号

此相对应，留居北方的一些中原士族，大多撰修家谱，标明郡号，以有别于异族而自高身份。到了北齐时期，凡是自认为家族高贵，或为当地人推许的各类家族，也都自标郡望，目的是"望以别族"，以郡望来区别他族。到了隋唐，此风一发而不可止。隋唐之后，人口繁衍加快，年久族盛人多，因故迁徙流离，为不忘本源，永记世系，那些自认为名门望族之后的后人们大多都在姓氏之前冠以郡望。如题于祠堂之上，则就成了堂号。

堂号的命名大致有两大类型：一为有明显的姓氏特征；另一为没有明显的姓氏特征，两者之中，以有姓氏特征者为最多。在有姓氏特征的堂号中，使用郡望是最普遍的。而郡望堂号又分为使用发祥之郡的郡名和使用望出之郡的郡名两种，有时这二者不太好区分，但对于一些较为明显的，我们还是可以看出。如李氏"陇西堂"、王氏"太原堂"、杨氏"弘农堂"、徐氏"东海堂"、刘氏"彭城堂"、萧氏"兰陵堂"、何氏"庐江堂"、姜氏"天水堂"、戈氏"临海堂"、陶氏"济阳堂"、伏氏"济南堂"、柳氏"河东堂"、赵氏"天水堂"、黄氏"江夏堂"、周氏"汝南堂"等，都是使用发祥之郡的郡名，而黄氏"上谷堂"、王氏"山阳堂"、刘氏"弘农堂"、周氏"河南堂"、赵氏"金城堂"、徐氏"高平堂"等，虽也是郡名，但都是望出之郡，就连知名度最高的王氏"琅琊堂"，也是望出之郡。有时一个姓氏并不止一个发祥之地，如伏氏还有"太原堂"，萧氏亦有"广陵堂"，徐氏的望出地堂号就有"东莞

刘知几（661—721），字子玄，徐州长彭城（今属江苏）人。史学家。唐朝永隆间进士。武后时历著作佐郎、左史，兼修国史，修史三十年，所撰《史通》为中国第一部史学评论专著。像载《蒲城刘氏五修族谱》。

62

堂"、"高平堂"、"琅琊堂"、"濮阳堂"等等，其他一些大姓，如王、刘、黄、周等则更多。

除了郡望之外，拥有明显姓氏特征的堂号还表现为根据先人的德望、操行、功业、科第、字号、著述、封谥、居住地、室名、书斋名以及嘉言懿行和传说命名，以示家世显赫，或借以弘扬祖德，启裕后人。如陶氏"五柳堂"，取自陶渊明"五柳居士"；郭氏"汾阳堂"，取自唐代郭子仪封为"汾阳郡王"；包氏"孝肃堂"，取自宋代包拯谥号"孝肃"；左氏"三都堂"，取自晋代左思名文《三都赋》；周氏"爱莲堂"，取自宋代周敦颐名文《爱莲说》；曾氏"三省堂"，取自曾子"三省吾身"之说；杨氏"四知堂"，取自东汉杨震拒贿名言"天知、地知、我知、子知"；张氏"百忍堂"，取自汉代张艺九代同堂、和睦相处的秘方为100个"忍"字；杜氏"少陵堂"，取自杜甫号少陵；吴氏"至德堂"，取自吴氏祖先吴泰伯、吴季札贤而让王位的高尚品德事；谢氏"宝树堂"，取自唐人王勃《滕王阁序》中赞美东晋谢家之语；文氏"正气堂"，取自宋人文天祥千古名诗《正气歌》；刘氏"天禄堂"，取自汉代刘向、刘歆父子校书于天禄阁；谢氏"东山堂"，取自东晋谢安隐居东山；裴氏"绿野堂"，取自唐代裴度别墅中的室名；季氏"一诺堂"，取自楚汉时季布一诺；江氏"彩笔堂"，取自梁朝江淹故事；徐氏"五桂堂"，取自宋代徐济生五子俱登进士故事。诸如此类，不一而足。这一类堂号，在家族各支派中重复率比较高，对于这类堂号，需要注意的是难免有对先人粉饰美化、牵强附会、言过其实之处。

没有明显姓氏特征的堂号则主要取材于吉利、祥瑞

之语和前人佳句，也有的取义于体现封建伦理纲常、训勉后人积极向上的词语，如敦本堂、敦伦堂、敦礼堂、崇仁堂、忠厚堂、秉德堂、报本堂、福聚堂、克慎堂、世德堂、忠孝堂等。这一类堂号在不同家族中重复率很高。据《上海图书馆馆藏家谱提要》所附"堂号索引"可以看到，"敦本堂"有六十多个姓氏使用，"敦睦堂"、"录思堂"有四十多个姓氏使用，"敦伦堂"、"世德堂"、"崇本堂"等有三十多个姓氏使用。

这些不同姓氏的堂号重复大多是一种不自觉的行为，或是说是在没有默契的情况下的自己选择。但也有例外，如在南方闽粤一带的洪、江、翁、方、龚、汪六个姓氏有时会共同使用"六桂堂"这个堂号，原因是这六个姓氏的祖源都是北宋初的翁姓，实际上还是一个家族。可这种情况是极为罕见的。

堂号作为中国封建宗法社会的一种特殊产物，不仅是一个姓氏、一个家族及其支派的代称，同时，由于其历史很久，流传甚广，寓意深刻而丰富，也是我们了解、认识和研究历史学、社会学、文学、姓氏学、人口学、民俗学等学科的重要资料。除此之外，它还是当今对家谱文献进行数字化整理和读者检索家谱的一个重要著录款目与检索途径，其重要性越来越受到世人的重视。

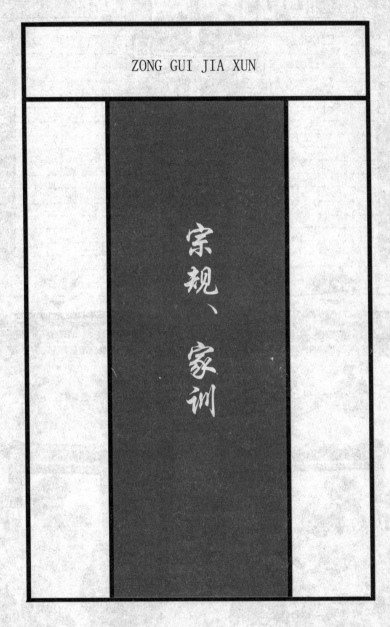

ZONG GUI JIA XUN

宗规、家训

宗规、家训，是家族自己制定，要求所有家族成员共同遵守的各种行为规范和规章制度的总称，通常是由父祖长辈、族内尊长为后代子孙和族众规定的立身处世、居家治生的原则、规范、训语和禁戒。它是建立在传统伦理道德和宗法制度之上，借助尊长权威，加之于子孙族众之上的各类约束，有些甚至还带有法律效力，其目的是为了使子孙后代永远存续家族、光大族望，不致因行为失当而败坏家业，灭宗绝祀。

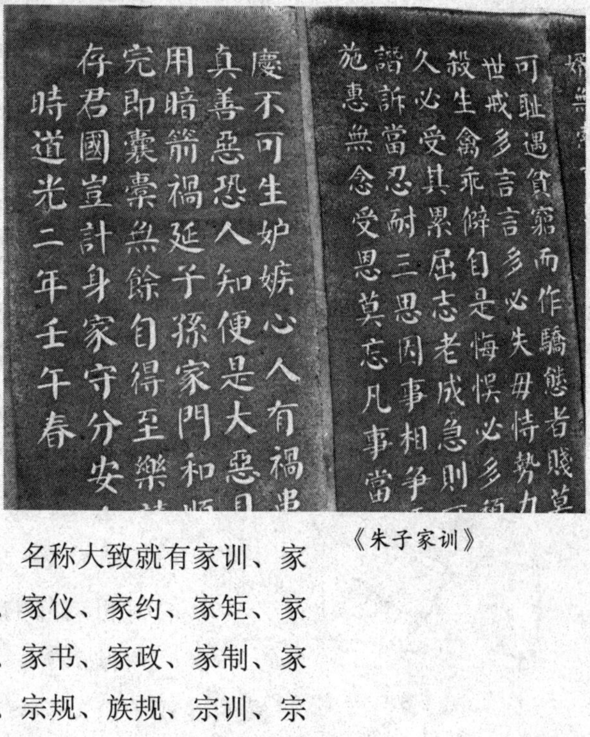

《朱子家训》

　　宗规、家训的内容很广泛，来源也不一致，因而，名称很多，仅落实到家谱之中，名称大致就有家训、家诫、家教、家范、家规、家法、家仪、家约、家矩、家则、家要、家箴、家语、家言、家书、家政、家制、家订、家鉴、宗范、族范、世范、宗规、族规、宗训、宗约、族约、宗式、宗仪、宗誓、宗典、宗教、宗政、庭训、庭语、祠规、规条、条规、祖训、训言、条约、公约、墓规等数十种。

　　宗规、家训的最早出现，并不是在家谱之中，而是以独立的形式单本行世。宗规、家训基本上是伴随着

67

中国的家谱

封建宗族制度的发展而形成和完善的。总体来说，训语、禁戒等内容出现较早，宋代以前基本成熟，而家族规范、行事原则等内容，则是在明清时期，随着封建宗法制度的完善而逐步定型的。这也就是说，家训早于宗规，同时，也多于宗规。

早期的家训，大致包括两个方面，即被后人记载下来的非文献的训诫活动和文献形式的训诫文书。训诫活动的记录要早于训诫文书。被记录的可以认为是最早的训诫活动，当推《吕氏春秋·序意》中记载的黄帝"诲颛顼"文。先秦两汉文献中，诸如这种训诫活动的记载

刘邦（前256—前195），即汉高帝，字季，庙号高祖，泗水沛（今江苏省沛县）人。西汉开国皇帝。前206年即帝位。

是很多的，其中周文王的"诏太子发"、周公对儿子伯禽赴封国前的训诫、楚相孙叔敖的"将死戒其子"、孔子对儿子孔鲤的庭训、鲁国贤母敬姜对儿子的训诫、孟母的断机和三迁择邻等，都是非常著名的训诫活动。汉代以后，文献形式的训诫文书开始出现。早期大多是以书信的形式出现的，然后逐渐出现遗书、遗言的形式，最后出现正式以家诫、家范、家训命名的训诫文书。其中著名的有汉高祖刘邦的《手敕太子》，刘向的《戒子歆书》，马援的《诫兄子严、敦书》，曹操的《戒子植》、《诸儿令》、《遗令》，嵇康的《家诫》，诸葛亮的《诫子书》、《诫外甥书》，羊祜的《诫子书》，徐勉的《诫子崧书》等等。当然，最著名的还是南北朝入隋之颜之推的《颜氏家训》。《颜氏家训》共分序致、教子、兄弟、后娶、治家、风操、慕贤、劝学、文章、名实、涉务、省事、止足、诫兵、养

生、归心、书证、音辞、杂艺、终制20篇，系统论述了他在立身处世、治家教子、养生娱乐等方面的心得，以及在考据、声韵、词章、义理等读书治学方面的经验与体会。《颜氏家训》的出现，标志着我国家训类文献的定型与规范，它的形式和内容，一直影响着后世的家训文献。《颜氏家训》之后，有关家训、家法类文献不断出现，历代著名文人大多都有自己对子侄家人的训诫文字，但基本上是单独行世。根据现有文献记载，大约到了元代，家谱的体例与收录范围发生变化，这种家训类文献方才被收进新修的家谱之中，成为新修家谱的一个重要组成部分。

宗规，可以说是家训的扩大化，即由对一个家庭子侄的训诫扩大到整个家族之中，同时，还增加了许多需要共同遵守和强迫执行的规定性内容。宗规的出现，大概不会晚于东汉末年。据《三国志·魏书》记载，东汉末田畴率族人聚居，"为约束相杀伤、犯盗、争讼"而立法多达二十余条，"法重者至死，其次抵罪"。其后，这种宗规大多在大家族中能够看到，如清道光本《义门陈氏大成宗谱》卷首就记载唐末陈崇制定的"陈氏家法"33条。陈氏家族当时是七世同居，内外二百余口，被朝廷旌表为义门。宋代的赵鼎家族、陆九韶家族、浙江绍兴金氏家族，元代著名的浙江浦江郑氏家族，均是数代共居，也都有本家族的宗规家法。明代以后，普通家族也开始制定自己家族的宗规，并普遍地与家训合并，刊入家谱之中。在明清两代的家谱中，随着封建宗法制度的加强，宗规、家训的形式已基本定型，内容也十分完

庐江《王氏家谱》上圣谕图

善，除了包括前代所有的内容之外，很多家谱还增加了遵圣谕、圣训等内容，宗规、家训在当时家谱结构中的重要性日益提高。

宗规、家训在家谱中并不仅仅是以一种形式出现的，有些是单独出现，但也有很多是分别出现，并冠有不同的名称。如《洪氏宗谱》中有"祖训"6条，"续训"11条；《姜氏支谱》中有"家训"19则，"家戒"3则，"家规"18则；《辋川里姚氏宗谱》有"宗规"8条，"家训"5篇；《龙河李氏宗谱》中有"家规"8则，"计开条规"14条。最多的当属《皖桐香山戴氏宗谱》，共有"家训"5条，"家规"8条，"家戒"25条，"计开条规"12条，共计4种。宗规、家训除单独成篇之外，有关内容还会在谱序和凡例中得到一定程度的体现。

之所以会出现这种情况，主要原因是，由于时代的发展或家族的扩大，旧的宗规、家训已不敷用，或有些内容陈旧落后，与朝廷法律发生冲突，需要修改或增补，而原有的宗规、家训又是出于祖宗之手，有些条款还具

《饶氏宗谱》

有一定价值，因此，两者同时保存，如《洪氏宗谱》中的"祖训"与"续训"。也有的是因为一部分内容是综合性的，原则上统一要求族人各方面，但对一些具体问题，只能再制定专门的规定，如义庄管理、祠堂条规、祭祀礼仪等。还有的是变更了形式或体裁，使之方便阅读与记诵。今仅以上世纪80年代初整理出版的洪秀全家谱《洪氏宗谱》中的"祖训"与"续训"为例，来说明这个问题。

《洪氏宗谱》原谱祖训六条

一、谕族人：子必孝亲，弟必敬兄，幼必顺长，卑必承尊。处宗族以和敬为先，处乡党以忠厚为本。凡我族人，尚其勉诸。

二、戒我族人，毋以强凌弱，毋以众暴寡，毋以富欺贫，毋以尊欺卑，毋以少陵长，毋用诈伪以弄忠厚，毋事诡谲以坏公正。唯我族人，悉宜儆省。

三、祖宗坟墓，每年祭扫，当先修整，必诚必信，而尽仁孝之心。子孙不许附葬，如有恃强侵犯，迁起重整，惩；知情不首者，同。

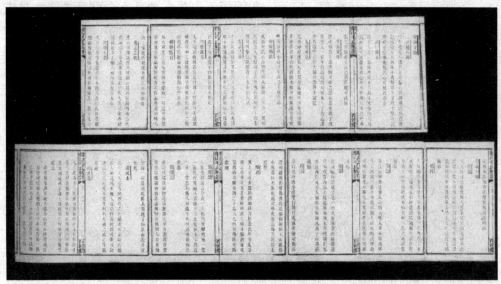

毛氏家族之家训、家戒

四、族大人繁，不平事务势不能无。须先投族众，鸣官处死，其受贿党奸者，亦逐出处境，不许回家。断勿姑容，以玷先声。

五、子弟之行不谨，皆父兄之教不严。为父兄者，朝夕教训子弟，使其以良善存心，以礼义持身，所谓乐有贤父兄者，此也。不率教者，鸣族众公责；又不听者，鸣官究治。若父兄容纵，许族人一同究论。

六、子弟力学，在宗族宜作兴之。每年间暇，会族之斯文，考其优劣，优者奖之，劣者勉之。至有掇科出仕者，务以补报朝廷、光显祖宗为心，立身扬名，圣有明训，宜复膺弗失。若贪墨败官，负朝廷以辱祖宗，非贤肖也。

凡我同宗，诚能遵守祖训，皇天共庇，不则，众怒难免，天谴难逃。言之再三，各宜深省。

陈义阳王叔达公像

清乾隆元年（1736）夏，十二世孙邦氏因第五、第六两条不合朝廷律法，且内容杂沓，因此，加以订正，成"续训"11条，依次为：

一、忠君：君恩重于亲恩。谚云：宁可终身无父，不可一日无君。生当明圣，省刑薄敛，敬先尊贤，永享太平，其敢忘诸？

二、爱亲：亲固当敬，为爱为先，爱而能敬，斯为孝子。亲爱者不敢恶于人，敬亲者不敢慢于人。二十四孝，除郭巨外，皆可为法。

陈叔达（？—635）字子聪，吴兴长城（今浙江长兴）人。南朝陈宣帝第十六子。唐大臣。陈封义阳王，随拜内史舍人、绛郡通守，入唐授黄门侍郎，拜侍中，封江国公，累擢礼部尚书。像载《东浦陈氏怀十房宗谱》。

三、隆师：师严则道尊，正献云："人生内无贤父兄，外无严师友，而能有成者，少矣。"故人必择师教子。然恭敬无实，岂为隆师之道？

四、教子：子曰："爱之，能勿劳乎？"石碏云："爱之，教义方，弗纳于邪。"若顾复鞠育，慈母之道责善，则离战国之风。

五、友兄弟：兄弟者，分形连气之人也。兄弟翕，斯父母顺。语云：兄弟不和，邻里欺，可无畏乎。慎勿以财物细事，伤兄弟至情。故薛包兄弟分居，器物取朽败，田庐取荒颓。王览，弟也，其母恶祥，数使扫除牛下，览与祥俱。虐祥，使妻览，妻遗趋而供之。

六、和夫妇：夫妇和而后家道成，然勿溺于床第。晏子云："夫和而义，妻柔而正，礼之善物也。"

范履冰（？—690），怀州河内人（今河南沁阳）人。唐大臣。自周王府户曹召入禁中，凡二十余年，时谓北门学士。垂拱中累官至凤阁鸾台平章事，兼修国史。像载《范史宗谱》。

七、睦族党：宗族于吾，故有亲疏，然吾祖宗视之，则均是子孙，无亲疏也。邻里乡（亲），如同骨肉，出入相友，守望相助，疾病相扶持，其可忽乎？勿以小嫌害大，勿以富贵欺孤贫。

八、友正人：子曰："无友不如己者。"又曰："友其士之仁。然人之不仁，疾之已甚，乱也"孟子亦云："言人之不善，当如后患何？"惟泛爱众而亲仁，斯得处世方。亲者，朝夕密迩、往来就正之谓也。

九、敦忠厚：人不忠厚，则言行浮薄，败名丧拈，残忍酷毒，无所不至。故与为智术，宁为蠢直。

十、戒淫奢：奢则不逊，百恶以淫为首。故妻妾婢外，皆非正色。食非三餐，衣非常服，皆为奢端。因淫损命，因奢为丐，又其甚者。

十一、择学术：矢巫巫匠，不可不慎。耕读为上，商贾次之。

73

原训有不备者，塞流之弊，故续补之。

宗规、家训的制定，通常有以下几种方式：1.族长或宗子制定。这是最普遍的一种方式。2.族内尊长或贤达制定。既有由族长委托一二人制定，也可能是共同商议决定。3.全族共同讨论制定。但从严格意义上讲，在封建宗法制度下，是不可能有这种民主的。因此，在这种方式中起主导作用的还是族长、宗子或贤达，而其余族人只能是陪衬。采取这种方式大约是为了强调本宗规、家训的权威性和遵守的必要性，因为这不是出于一己之私，而是合族共议决定的，每个族人都应自觉遵守。4.由某个单独家庭的家规之类发展而来。

在中国封建社会，宗规、家训的制定大致要遵循几个原则：在封建礼教的范围内，与国家法律、法规不冲突；在圣谕上谕的指导下，与地方乡约相吻合；服从于社会舆论。在此基础之上，再体现家族和时代特点。明清两代，家族制定完宗规、家训，尤其是宗规部分，有

崔群（772—832），字敦诗，贝州武陵（今属山东）人。唐大臣。未冠兴进士，授中书侍郎、同平章事，历武宁、荆南节度使，吏部尚书。像载《仙源崔氏敦本堂支谱》。

很多还要向当地政府申报，请求审查批准。由于这是族权与政权联手，有利于地方稳定，政府一般都持肯定和支持态度。得到政府批准的宗规，在颁布和实施时权威性更强。

宗规、家训的内容是多方面的，并且，早期和后期也有所不同，总体来说，是越到后期越完善。比如被宋真宗赞誉为"聚居三千口人间第一，合炊四百年天下无双"的江州义门陈氏，其所修的《义门陈氏大成宗谱》中收载了公元九世纪时陈崇所订"陈氏家法"33条，内

容涉及到家族组织的机构设置、职责、管理、蚕桑、生产、婚姻、教育、医疗卫生、日常生活、衣食分配、行为规范、违法处理等方面。比如吃饭问题，就涉及到6条，内容包括饮食统一安排，十分完备，也十分有趣，今仅举3条，以见一斑：

厨内令新妇八人掌庖饮之事。二人修羹菜，四人饮饭，二人支汤水及排布堂内诸事。此不限日月，迎娶新妇，则以次替之。

每日三时茶饭，丈夫于外庭坐，作两次。自年四十以下至十五岁者作先次，取其出赴勾当，故在前也。自年四十以上至家长同坐后次，以其闲缓，故在后也。并令新冠后生二人，排布祗候茶汤等事。妇人则在后堂坐，长幼亦作两次，并出厨中新妇，祗候茶汤等。其盐酱蔬菜腥鲜出正副掌事，取给酌当。

节序眷属会

祖宗画像

炊，于大厅同坐。掌事至时，命后生二十人，排布祗候。先次学生、童子一座，次未束发女孩一座，已束发纚女孩一座，次婆母、新妇一座，丈夫一座。至费用物资，惟冬至、岁节、清明，掌事分派诸庄供应。余节出自宅库，随其所有布置，许令周全者。

宗规、家训中条目中最多、内容最丰富者当推《义门郑氏宗谱》中所载的"郑氏规范"，共168条。郑氏家族自南宋初至明初，合族而居已历十三世，元朝时六世孙郑文融立族规58条；其子郑钦继他主持家务后，增加了70条，共128条；郑钦弟郑铉又增加了22条，计150条；明初时八世孙郑濂、郑涛、郑泳等又讨论商榷，共相损益，最后确定为168条。此族规的内容涉及家庭组织机构及其职掌、祠墓、祭祀、宗子选择、族众礼仪、出仕规定、族产、族学、生产、生活、男婚女嫁、男训女诫以及违犯的相应处罚等各个方面，十分全面。

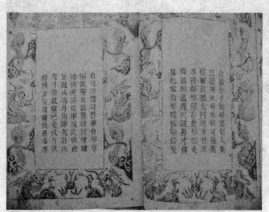

《梅氏家谱》

明清两代家谱中宗规、家训的内容十分广泛，也十分丰富，同时，还十分注意文字表达形式，一般以2—5字为题名，形式整齐，上口易记。如《辋川里姚氏宗谱》"宗规"的条目是圣谕当遵、宗族当睦、闺门当肃、蒙养当豫、职业当勤、姻里当厚、祠墓当展、谱牒当重等8条。《唐氏族谱》的"宗规"是培祖德、正族纲、谨婚配、存宗桃、肃家规、恤当孝、定家法、警非为、息讼端、弭外衅等10条；"家训"是孝父母、友兄弟、和夫妇、训子孙、睦宗族、端士习、重农桑、尚节俭、勤职业、明礼让等10条。《虎墩崔氏族谱》的"族约"是立族长、宣圣谕、敦族义、创祠宇、置祭田、守坟墓、重谱牒、立宗会、叙伦理、正闺门、端蒙养、供赋役、勤职业、尚节俭、谨储积等15条。如果从整体上归纳一下，明清时代家谱中的家训、宗规，大致有遵宣圣谕、敬祖孝亲、和宗睦邻、祠墓祭祀、冠笄礼仪、忠君急公、尊师重学、肃闺训媳、婚嫁延嗣、居家治生、宗族事务、职业选择、制御仆从、劝诫和禁戒等项目，每一类之下，又可有许多详细内容。

中国第一家族的孔府，于明万历十一年（1583），由衍圣公府颁布了"祖训箴规"，共10条，依次为：

储光羲（约707—约762），润州延陵（今江苏丹阳南）人，祖籍兖州（今属山东）。诗人。开元间进士，官至监察御史。像载《官林储氏分谱》。

1.春秋祭祀，各随土宜，必丰必洁，必诚必敬。此报本追远之道，子孙所当知者。

2.谱牒之设，正所以联同支而亲一本。务宜父慈、子孝、兄友、弟恭，雍睦一堂，方不愧为圣裔。

3.崇儒重道，好礼尚德，孔门素为佩服。为子孙者，勿嗜利忘义，出入衙门，有亏先德。

4.孔氏子孙徙寓各府州县，朝廷追念圣裔，优免差徭，其正供国课，只凭族长催征。皇恩深为浩大。宜各踊跃输将，照限完纳，勿误有司奏销之期。

5.谱牒家规，正所以别外孔而亲一本。子孙勿得勾相眷换，以混来历宗支。

6.婚姻嫁娶，理伦守重。子孙间有不幸再婚再嫁，必慎必戒。

7.子孙出仕者，凡遇民间词讼，所犯自有虚实，务从理断，而哀矜勿喜。庶不愧为良吏。

8.圣裔设立族长，给予衣顶，原以总理圣谱，约束族人，务要克己秉公，庶足以为族望。

9.孔氏嗣孙，男不得为奴，女不得为婢。凡有职官不可擅辱。如遇大事，申奏朝廷，小事仍请本家族长责究。

10.祖训宗规，朝夕教训子孙，务要读书明理，显亲扬名，勿得入于流俗，甘为人下。

《叶氏家谱》书画卷

这10条"祖训箴规"在几部《孔子世谱》中均未收录，但在孔氏的其他支谱中多有登载。这10条"祖训箴规"实际上是孔府宗规、家训的总纲，各支派在修支谱时，一般都先照录这几条，或以此为根据，再结合实际情况，制定更详细的宗规、家训。如《建宁县三滩孔氏续修家谱》有清乾隆二十五年（1760）"增入条款"8条，依次为：教孝、教弟、睦族、敬老、节俭、勤谨、读书、保墓。《续修福建邵武府建宁县巧洋孔氏家谱》的"族规"有12条，依次为：作兴文学、恪共祀事、培植祭产、护理祠墓、酌定优奖、惩治不率、禁止词讼、严防乱宗、督率急公、屏绝邪教、节制财用、慎藏谱籍。《丹阳县孔氏天启族谱》的"家规纪"有崇孝道、睦友于、秩尊卑、训子孙、勤农桑、戒争讼、安生理、毋赌博等8

条。《续修江西临川县孔氏支谱》的"家规条例"有尊族长、立房长、立纲首、首孝弟、重节义、励读书、崇学校科第、贵教子、义同居、正婚姻、诸不孝、除淫乱、戒赌博、究窃盗、禁僧尼、道师、学戏、隶卒之类、禁妇女不准朝神拜庙、禁负养螟蛉、禁构讼、禁穿构衙蠹、禁拖欠钱粮等20条。《续修四川顺庆府蓬州孔氏支谱》的"登记条则"有孝悌宜敦、宗族宜和、乡党宜睦、子孙宜教、农桑宜务、国赋宜纳等6条。《续修岭南保昌平林孔氏家谱》的"家规条例"有孝敬父母、尊敬长上、严教勤读、尊贤重士、早完钱粮、异姓勿抚、择婚谨始、毋好棋牌赌博、毋好斗殴健讼、毋好奢侈等10条。每一条后面，都有具体而详细的说明和解释。

林氏始祖——林坚

　　以上是孔氏家族的宗规、家训，既有通用整个家族的，也有各地孔氏分支自行制定的。这些宗规、家训除与一般社会的宗规、家训大致相同之外，有两点值得特别强调：一是由于儒家礼教在整个社会生活中的地位，孔氏家族的宗规、家训也就更加强调有关孝、悌、忠、信、礼、义、廉、耻的内容，对妇女的封建伦理约束也更严格。二是由于孔氏历史上曾出现过"孔末之乱"，因此，孔氏所有的宗规、家训无一例外地极力强调保持孔氏血统纯洁，严防他人假冒，讲究真孔、伪孔之辨。反映在宗规、家训上，诸如防冒姓、严防乱宗、严锄非种、禁负养螟蛉、异姓勿抚以及修谱时严核事实，乃至慎藏谱牒、护理祠墓等条款，实际上都是在强调这个问题。

　　所有的宗规、家训都需要族人严格遵守，如果违

犯，就要受到相应的处罚。家族对族人的处罚，大致有五种类型：一是警告，包括训斥和记过，这是最轻的；二是解除或部分解除与家族的关系，如停米、革胙、革祭、出族等；三是刑罚，即通过强制手段惩罚，如罚银、罚跪、锁禁、笞杖等；四是处死，如活埋、淹死等；五是鸣官，即送交官府，依国法惩治。在这其中，处死是最不应该的，因为如果此人真的犯了不可赦的罪过，也应该由政府用国法惩治，而不应该由私法处置。再说，在人的所有权利中，生命权是最重要的，也是最应当得到保障的，绝不能由私刑处置。然而，在封建社会，这种处死的条文在宗规、家训中经常见到。如前文提到的《洪氏宗谱》就有"须先投族众，鸣官处死"。《建宁巧洋孔氏宗谱》有"至大反常，处死，不必禀呈，至累官长"；"大盗，亦家法处死，小窃乃至拐骗……三犯，处死"。《临川县孔氏支谱》有"犯忤逆，处死，……男子乱伦，两命皆死"；"初犯盗窃，……三犯，淹死，犯大盗，即淹死"。《弘农杨氏宗谱》有"若至大逆不孝，则族长会合族众，鸣公处死，虽独子不恕"。《戴氏宗谱》也有"罪犯重条，不必送官，或捆埋土中，或捆沉河内"。有关家族私刑处死族人的条文，在很多家族的族规中都有，而且处死的范围也不一样。这是封建宗法制度中最黑暗、最野蛮的部分。这种流弊至今仍没有绝迹。即使在当今法制社会中，我们偶尔还能听到某地两男女因同姓通婚，双双死在宗法势力屠刀下的新闻。当然，凶手最终都得到了国法的严惩。

家谱中的宗规、家训，还有极少数是以诗歌形式出现的。如《稠泉徐氏五修族谱》中所制定的家约，为

二十六首律诗。由于这种形式不常见，故全文抄录于
下：

一　孝父母

儿生父母视如珍，酷暑严寒倍苦辛；一刻那忘心滴血，
千方惟冀子成人；孩童嬉笑犹知慕，长大经营不认真；
白发枯躯来日瘇，劬劳罔极报双亲。

二　笃友恭

兄弟相亲孰等伦，经营多变气远通；身边手足联筋络，
树上枝丫共本丛；急难维持方有济，阋墙御侮岂无戎；
友生纵是恩情洽，那比同胞性至融。

三　守国法

人生需守事凡多，处世持躬总贵和；法律顺行行不紊，
乡村至乐乐如何；常将种植勤操作，惯把诗书细揣摩；
忍气奉公无懈怠，怀刑胡畏政求苛。

四　睦宗族

九族原来一本分，好昭雍睦气如薰；尊卑长幼无相越，
富贵贫穷也共群；服内至亲当切念，宗同虽远应殷勤；
陈东张艺堪矜式，史册流传百代芬。

五　和乡党

乡党姻邻谊匪轻，好将淑气喜逢迎；老成硕彦须亲敬，
流俗睚眦莫与争；遇事温恭频晋接，需知机巧久相倾；
得偿行笃言忠味，漫道蛮邦不可行。

六　训读书

凡人乐得父兄贤，课读诗书习礼仪；上达总由求学至，
中材定要用心坚；功多积累名多就，玉不磨磷美不全；
曾计韦长常教子，遗经一卷当千田。

七　勤耕织

国家自古重农桑，衣食无虞不怠荒；男力耕耘女纺绩，
幼欣饱暖老安康；饥餐玉粒来风雨，寒暑丝棉出筐筐；
一室丰盈观聚会，嬉游鼓腹乐陶唐。

八　重冠昏

冠为古礼戒成人，当世儒家少讲论；养女及笄宜择配，
育男长大应求婚；厚奁莫计祈媛淑，重聘何需选婿惇；
我族保无同姓娶，后来嗣续自昌荣。

九　谨丧祭

谨慎人生一大纲，须知与祭与居丧；亲没故宜哀致尽，
祀先只贵敬维常；浮屠风水皆迷信，春露秋霜应肃将；
惟在竭诚勤拜跪，子孙百世定蕃昌。

十　肃家范

男有室来女有家，夫纲不正愿必斜；闺门肃若朝廷美，
妇孺严无惰慢嘉；易载象词毋失节，书云守约谨奢华；
范围莫越师敦厚，裕后先前永足夸。

十一　慎交友

结交须慎择良朋，善则从之过则惩；直谅多闻为己益，
辟柔便佞损吾贞；陈雷契好如胶漆，尔我相仇若炭冰；
久敬圣钦齐晏子，淡成甘坏寸衷凭。

十二　端品行

大凡子弟好轻狂，终日流连荒与忘；掷骰只贪孤注位，
探花无厌尽倾囊；自鸣快意欢娱极，人嫉卑污品行亡；
我劝族中诸后辈，四箴常懔贵端庄。

十三　息争讼

与人好讼必多凶，兄弟官司更不容；毋论输赢皆手足，
须知玷辱共亲宗；鼠牙雀角终无益，狴狱狼刑也任从；
子怨妻埋尤荡产，荒芜正业悔锥胸。

十四　尚忍让

一言不忍惹人嫌，万事无争是我谦；唾面自干诚足式，
怀刑安分更堪瞻；许多构讼因些小，每见凶殴起细纤；
学到娄师公艺德，迩遐应接若甘甜。

十五 遵俭约

守约从来获永嘉，尤知尚俭久荣华；三浣惜裘唐晋主，
御寒充腹相侯家；石宗侑酒无穷侈，何子餐钱太极奢；
富贵贱贫男妇辈，克遵二字乐靡涯。

十六 绝骄矜

贵多忿戾富多骄，学到谦恭受益饶；重己轻人人共嫉，
虚怀下气气相调；姬公才美犹然逊，石子雄豪立见消；
不解青年浇薄辈，胡为逞势首翘翘。

十七 别男女

操持家政是奇男，内务皆由妇独担；出入混淆当切戒，
公私物议实难堪；聚麀同室干天怒，叔嫂完房惹自惭；
暗地亏心神目电，别人妻女不容贪。

十八 儆懒惰

懒惰焉能福久长，不谋正业任抛荒；耕耘竭力饔飧继，
诵读惟勤姓字扬；饔飧因循衣食窘，嬉游罔厌性情戕；
寸阴古圣无虚度，我等尤宜爱惜光。

十九 禁洋烟

纸烟宜禁盛洋烟，多少英雄入此迷；初吃时方寻乐地，
谁知日久害靡天；荒芜职业阴阳变，虚度韶华昼夜眠；
火炮枪锤都不畏，家倾之后受熬煎。

二十 戒赌博

喝雉呼庐是福胎，千金一刻化成灰；俨然富贵浮华客，
顷作贫寒下等才；祖父百年勤积累，儿孙孤注不徘徊；
衣衫褴褛终无靠，失陷妻孥泪满怀。

二十一 警盗窃

荒怠原为窃盗媒，也因赌博结群来；治生本有谋生事，
处困须求济困才；种土耕田都获利，佣工贩卖亦招财；
自甘匪类多遗臭，孝子慈孙赎不回。

二十二 惩堕溺

堕胎溺女恶刁风，天地神明暗必憎；饮食所需惟乳哺，
衣裘不过避寒羞；鳝怜腹子甘汤死，鸟恋雏巢受弋薨；
国设育婴犹恻忍，为人父母更宜惩。

二十三 严奢侈

极情奢侈过时光，只恐浮华享不长；饮食但求饥渴免，
衣裳何用锦纨装；镏铢积累成家子，万贯消融落魄郎；
直待阮囊羞涩候，始知豪兴悔倾筐。

二十四 远酒色

从来酒色最迷人，远此方能福寿臻；桀纣昏庸倾国祚，
女男浪荡倒家贫；青年壮士宜严戒，白发衰翁应惜身；
莫好香醪淫与欲，出门谁不见如宾。

二十五 奖善行

名成行善匪凡民，国赏簪缨族奖银；优待英贤作矜式，
劝惩顽梗化心身；若夫节妇当旌表，更要承宗择孝仁；
厉俗端风谁不重，况同一本最相亲。

二十六 循祠规十韵

家约宜守训宜遵，惟有祠规应更循；祭物务祈精洁美，
衣冠无论朴华新；春秋祀祖昭诚敬，肃静迎神贵清晨；
老少馂余依次坐，宗堂整饰戒猖陈；严惩盗卖贪金嗣，
禁伐公山坟境薪；欺幼慢尊加警触，求昏选婿莫嫌贫；
岁租谷硕清明邮，算账盈亏逐日申；经管择贤殷食荤，
照名领谱爱如珍；三年盖戳均须计，生没咸登墨册真；
我族五修经费浩，仍从源远别疏亲。

徐陵（507—583）。字孝穆，东海郯县（今山东郯城西南）人。文学家、诗人。梁时官东宫学士、通直散骑常侍，陈时官至太子少傅。诗文与庾信齐名，有"徐庾体"之称。像载《新安徐氏宗谱》。

在历代各家族的宗规、家训中，虽然存在着大量的封建性的糟粕，如宣扬封建伦理、纲常，禁锢异端思想，辅助封建政权，加强对农民的控制，践踏生命权等，但在漫长的历史过程中，它也起到了稳定社会秩序，维持地方治安，宣传民族美德，打击陈规陋习等作用。同时，宗规、家训作为传统家族制度的产物，其更根本的作用在于加强了同族宗亲的认同感，维持了家族秩序，从而也就维持了家族共同体的存在和发展，维持了社会的稳定。也正是由于这些原因，宗规、家训在当今社会仍有存在的价值。只要摒弃了封建性的糟粕，还是能够为当今社会精神文明建设服务的。这也是宗规、家训以另一种面目在当今新修家谱中普遍存在的原因之所在。今仅举川渝联宗《徐氏族谱》为例，来说明这点。

在新修的《徐氏宗谱》中，传统的宗规、家训被更名为"行为守则"，并增加了时代内容，反映了时代特色，从中，我们可以看出徐氏家族在新世纪的精神面貌和价值取向，此"行为守则"全文如下：

行为守则

国父孙中山曾经指出："由家族合成宗族，由宗族合成国族，由国族合成世界大同，世界大同必先治国，国之兴不可忽视族之旺，族旺不可全然否定家规族训。"

国家在宪法的总体指导下，制订了各种相关的法律来约束人民，以保国泰民安。家族亦然。

【爱国爱家】：中华民族大国家，炎黄子孙都爱她。一国虽是万家聚，自古有国才有家。为人生平不爱家，飘游浪荡在天涯。奉劝族人要爱家，保家卫国人人夸。

【追宗溯源】：伯益祖德高望重，佐禹王治水有功。封东海赐建徐国，称霸雄五百秋冬。明清时湖广填川，进巴蜀南北西东。立字辈自修祠堂，勤耕读繁衍族众。

【孝敬父母】：子女本是父母生，父母养育才成人。人生在世要孝顺，敬老德福佑子孙。人若在世不忠孝，枉披人皮错变人。

【团结友爱】：兄弟姐妹同手足，妯娌好似姐妹情。兄弟姐妹扯内经，自残手足伤人心。邻里好比鱼和水，鱼水互依情意深。若是互攻道长短。就是持刀残自身。兄弟邻居团结紧，样样顺利事事兴。

【夫妻和睦】：夫妻本是同巢鸟，男女平等要记清。夫爱妻敬团结紧，共创家业最称心。互助互帮求上进，和气理家万事兴。

【严教子女】：养子不教父母过，为子不学终身祸。严教子女勤耕读，开创前途结硕果。

【耕读为本】：勤耕苦读求上进，学好知识展才能。若是糊涂混光阴，不学无术误一生。

【艰苦创业】：古往今来勤为本，艰苦奋斗创业兴。穷富不忘先祖志，拼搏进取是根本。

【遵纪守法】：人人有脸树有皮，自尊自爱洁自身。遵纪守法乃根本，品行端正莫乱行。

【正大光明】：正大光明人人敬，留得清白教后人。偷抢扒窃与欺骗，众人诛之不留情。洞穿世俗免争吵，不在人前落骂名。族传守则是个宝，教育子女少不了。奉劝族亲都遵守，利国利族利自身。

ZUAN XIU

纂修

因为家谱能够证明一个人的身份，在社会政治、经济、文化以及人际交往中具有重要作用，所以，历代都比较重视家谱的编修。唐代以前，家谱的政治作用比较明显，选官、婚姻、人际交往都离不开它，因此，整体上以标榜门第为特征，为了保证家谱的权威性，家谱往往由政府纂修，由政府设置专门的机构——谱局保存，以备必要时查验。宋代以后，家谱的政治作用削弱，但记录家族历史，纯洁家族血统，团结、约束家族成员，教育家族后人，增进家族荣誉感、向心力和归属感，以及提高本家族在社会生活中的声望、地位的作用增强，除了皇帝的家谱——玉牒为政府所修、政府收藏之外，其他家谱均由私人修纂，政府不再干预，也不负责收藏保管，直至清代，政府才对家谱中的行文和格式做出一些规定。在清代，满族人家谱尚具有一些政治作用，旗人袭爵、做官都需要出示得到官方承认的家谱作为证明，但与唐代不同的是，旗人的家谱是由家族自己纂修，自行保存，需要时只要送交官府查验就行了。

清代宗室玉牒，长89厘米，宽51厘米，厚72厘米，重达115公斤，应该是世界上最大体积最庞大的家谱。

宋代以前纂修的家谱，因年代久远，现在已基本亡佚，无从考察其纂修情况，我们只能从前人的记录中略为了解一些。流传至今的古代家谱，大多是明清两代纂修的，从中我们可以对明清两代的家谱纂修情况有一个大致的了解。

明清时代，虽说纂修家谱是私人之事，但由于家族是社会统治的基础，家族稳定，社会也就容易安定，因此，政府对于建家庙、修家谱之类加强家族团结的事情大都采取支持和鼓励的态度。历代玉牒的纂修，也起了间接倡导的作用。明太祖在位时，就曾为自己的家族编修家谱；以前没有编修家谱习惯的清王朝，入关后仅12年，即世祖顺治十二年（1655），就提出要为自己的爱新觉罗家族编修家谱。在明清两代的家谱和有关文献中，不断见到政府当局鼓励纂修家谱的记载。

明清两代，家谱纂修和续修年限的时间长短没有统一规定，基本上处于自发状态。但不管时间长短，都必须在一定时间内续修，以保证家族血缘延续记录的完整。如清代玉牒，皇帝规定每10年续修一次。其余私人家谱，一般规定是30年续修一次；也有的是15年一小修，30年一大修；还有一些家族规定，分支家谱5年一修，合族的公谱10年一修。修谱间隔最长的是武进城南张氏家谱，规定三世一修，每世通常30年，也就是90年续修一次。孔子家谱规定是30年一小修，60年一大修。徽州徐氏家谱也是60年一修。总之，不管多少年一修，应到时即修，到时不修，子孙会被人视作不孝。当然，如果因战乱、自然灾害等特殊原因没能如期续修，也是能够理解的，但在重修时应在新修家谱的序文中予以说明。不过，由于中国社会历代战乱、兵燹、瘟疫及自然灾害等不断，再加上家族本身如迁徙、人才、

徐彦若（？—901），字俞之，新郑（今属河南）人。唐大臣。在中十二年（858）进士。僖宗时官至中书侍口人。昭宗立，以户部侍郎同平章事，进位太保、门下侍郎。后官清海军节度使。像载《新安徐氏宗谱》。

经费、资料和对家谱重要性认识不够等原因，能够严格
按照规定续修家谱的家族并不多见，至多是在
一定时间内能够按规定续修。从历史的角度来
看，严格按规定多少年一修的家族没有一个，
就连家族稳定性最强的孔氏家族也是如此。

家谱的纂修，通常是由家族中负有文名或
职务最高的退休官员倡议和主持，或由族长主
持，也有极少数聘请族外硕儒主持。王安石就
曾编过《许氏世谱》，文天祥也曾给燕氏编过
家谱，40年代末所修的蒋介石家族家谱《武岭
蒋氏宗谱》，即是延聘国民党元老、著名文人
吴稚辉为纂修总裁。修谱时一般都要成立一个
临时性的机构，即家谱修纂或编修委员会，也称"谱
局"、"修谱董事会"等，安排好修谱中有关各方面工
作的人手，然后向全家族包括已经迁居他乡者发布榜
文，要求尽快将近期的各种资料报来，加以汇总。也有
的是在各支房谱基础上进行汇总。

编修委员会有大有小，主要视家族大小、家谱纂
修的难易程度和时间长短而定，少则十余人，多则数
百人，内部分工明确。如康熙《孔子世家谱》的编委
会有鉴定1人，为当时的衍圣公孔毓圻，监修2人，督
刊2人，编次1人，即孔尚纪，校阅1人，刊刻2人，连
刻工共9人。而民国《孔子世家谱》的编委会则大了许
多，有总裁1人，为孔德成，提调4人，监修2人，编次
13人，校阅10人，收掌4人，文牍9人，书记5人，收发
4人，庶务4人，会计2人，交际4人，督刊4人，不算印
刷人员，共66人。编委会最大的大约当数《张氏统宗世
谱》的编委会，共计248人，堪称一时之冠。

孔丘（前552—前479），
即孔子，字仲尼，鲁国陬
邑（今山东曲阜）人。思
想家，教育家，儒家之
祖。画像藏台北故宫博物
院。

纂修

修谱的经费大致有如下几个来源：一部分来自祠堂公产，如族田、祭田或其他族产收入。一部分由家族成员公摊，每丁或每口出钱多少，可以是钱，也可以是粮食，有违抗不缴者，依家规严处，甚至给予不准登记入谱，或家谱修成之后，不让领谱，也就是说给予开除族籍的处分。所以修谱之时，再穷的族人，也会按时缴纳。第三是按入谱的条目、字数或领谱的数量摊钱，这样一来，势必造成有经济实力的族人，通过这种方式在谱中占有更多的篇幅，而那些贫穷下户和衰房弱支，则在谱中无足轻重。这种方式，也使得过去一些从事不被重视的职业之人，如商人等，可以凭借经济实力，在谱中改变形象，占据重要位置。第四是自愿捐赠，一般是由族长、房长及族内士绅人物率先认捐倡导，然后推广到各房支。当然，也并不是每一个家族修谱都全部采取以上方式筹款，但一般不会超出上述范围。谱修成后，要将收支向族人交代清楚，以示无私。我们不妨以民国《孔子世家谱》为例，来看看收支情况。编委会共收到本支六十户及六十户所属者摊洋3682元6角，其他各地支派摊洋4824元1角，纸坊户孔祥熙捐洋1000元，滕阳户孔繁蔚捐洋500元，合计10006元7角。支出明细是：1.自1928年9月1日成立筹备处至1930年10月9日，共支洋140元4角。2.1930年10月10日开馆时公宴支出179元9角。3.自开馆至1935年7月30日，共开支伙食费、笔墨纸张费用、灯油费、炭火费、茶水费、厨役茶夫工资费用、邮电等通讯费、杂费、誊录费、印刷费6430元8角。4.开各地族人代表大会招待费与公宴费支出232元9角3分8厘4毫。5.自1935年8月初至1937年11月底谱成共支洋2270元6角5分（明细与3同），合计支出9254元6

角8分8厘4毫。另外，本支各户领总谱和支谱的共捐洋26312元，全谱的价格是60元一部，支谱的价格视篇幅而不同。这笔钱，当然用于印刷。

家谱修成后，先请名人作序，以弘扬先辈祖德。在清代"文字狱"盛行时期，大多还要送官府审查后再行刻印，以防有违碍文字导致不可收拾的后果。家谱刻印完成，这是全家族的一件大事，通常要择吉日举行祭谱仪式，在祠堂里摆酒庆贺，有时还要请戏班唱几天戏。然后，将一份家谱供在祠堂，其余按编号分给族长、族人保藏，并留有记录，定期检查。家谱的保管者要对家谱视若珍宝，妥善安全地保藏，不得轻易示人，如有损坏，则予以训

清朝早期谱盒

斥，如若出卖或供给外姓阅读、传抄，那更是大逆不道，家族要予以严惩，轻则除名出谱，重则送官惩办。近代以来，也有的家族在家谱修成之后，会奉送一部或数部给有关图书馆保存。如果是一些大家族的分支，则还要将修好的家谱送一份到大家族中备案、保存，如各地孔姓家族修成家谱后，都必须送一份至曲阜孔府，以备日后孔府修谱时收入。多少年后，这个过程再重复一遍，每一遍的内容都不完全相同，为了有所区别，现存的家谱大多标上"续修"、"几修"字样。据笔者浏览所及，普通家谱续修最多的有二十多修，清代皇帝家

谱——玉牒则续修达28次之多。

家谱纂修的资料来源，通常是日常积累，一般每年正月，很多家族的家族成员要到祠堂聚集，将去年各家的人口变化情况，用墨笔登记上谱，新生儿在各自派系下，登记上出生年月日时、行第。由于旧时规定，小孩5岁入塾开蒙读书时，方由父、祖、师赐名，因而，此时只能登上小名。有娶妻者即在其名下登记娶于某地、某人之女、姓名及出生年月日时；嫁女者注明嫁于何地何人；死亡者注明死亡年月日时、寿数、葬地等。这个程序称为"上谱"。所上之谱作为日后修谱的底谱，由于是用墨笔书写，通常也称"墨谱"。有的不一定一年上谱一次，有些家族规定，新生儿出生三日、死亡者半年内即要上谱。迁到外地的族人，由各房支平时单独记录，每年向宗祠汇报一次其迁居地和人口变动情况，即使是皇族也是如此。清代皇室成员每年正月初十之前必须将人口变动情况造册报送专管皇室事务的宗人府。清

孔子的墓

代中期以后，皇族成员数量剧增，一年报一次的工作量太大，又改成三个月报送一次，一年四次。嘉庆年间，一批皇族成员迁回满族的发祥地盛京（今辽宁沈阳），他们则规定10年须向北京宗人府报送一次人口变动情况。也有的不上谱，而是平时由族长备册统计。如东北某些满族地区，穆昆达（族长）在每年祭祀时，都须备有三个册子，一个册子登记身故之人，一个记新出生之

人，另一个则记录族中新娶妇女的姓氏和旗别，以备修谱时采用。

除了日常积累之外，旧有资料的来源还有：前代遗留下来的旧谱资料、口碑资料，实际调查所得资料，各支族所修的家谱资料。支族修谱时间一般短于合族修谱，修成之后也要送一份给总族，以备修合族谱时采用。此外，还可以利用各种宗祠契约、文书、文件、族人所撰的诗文、存稿和各种著作，以及族人的墓表、墓志铭、行状、小传等，传记资料则可抄录各种史书、方志、碑传文等，先祖资料和以前世系，则可直接采用以前修成的家谱，只要略加考订就行。

对于最新资料，最可靠的办法是编委会向全体族人征集调查，族人在收到通知后，即将自家详细情况填表上报户头或户长，户头或户长要对所报资料负责，然后汇总交给族长或编委会。在当今孔府档案中，还保存着这么一张样表，内容十分详尽，并且编了号，可供当今修谱者参考。（见下图表）

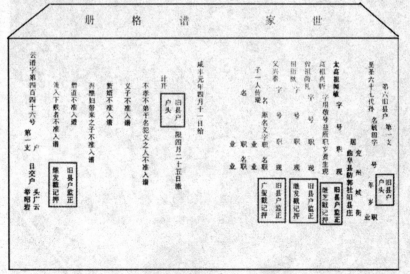

《孔氏旧县户世家谱格册》[孔氏大宗户旧县户世家谱格册（〇八一七）之三]

95

中国历史年表——帝系表

在家谱纂修中，通常对资料的收入和使用还有一些具体规定，其中主要是在对家族成员是否全部收录方面。我们知道，封建时代纂修家谱，最重视的是血统世系，其主要目的是为了明血统、序昭穆，因而，对防止"乱宗"之事，非常重视。

为了保证血统纯净，对一些特殊人物，在是否入谱的问题上，有一些具体的规定。例如，家族成员没有后裔，如果抱养的是亲兄弟的儿子，或家族中血缘较近的，可以入谱，但须清楚注明抱养于何人，如果抱养异姓人为后，则一律不准入谱，私生子虽然有血缘关系，但属伤风败俗之事，也不能入正谱，只可入附谱，并于名下注

孔子授业图

明"养"的字样。对于未成年而死亡者，不同家谱的规定也不一样。未成年而死亡称之夭折，据封建时代礼教的规范《仪礼·丧服传》规定，16—19岁死亡者称长殇，12—15岁称中殇，8—11岁称之下殇，8岁以下者称为无服之殇。一般来说，下殇以下是不入谱的，中殇以上可于其父名下注出。妻子和继妻可入谱，妾必须生子方可入谱。入赘之人如改本姓，男的削去字行，即在谱中见不到字辈，异姓者则一律不书，儿子名下注"养"字。以上诸种规定，都是为了保持血统的纯净。然而，也有例外，在一些养子比较普遍的地区，如福建一带，很多家谱则采取变通方式，亲子用红线连于父亲之下，注明某人之子，养子则画黑线，也注明某人之子。更有些家族，只要缴纳一定数量银钱，即可上谱，但这并不多见。

朱元璋（1328—1398），即明太祖。幼名重八，改名兴宗，从戎后改名元璋，字国瑞，濠州钟离（今安徽凤阳）人。明朝皇帝，明朝建立者。1368—1398年在位，年号洪武，谥高皇帝。

家谱纂修的另一个特点是隐恶扬善，如果家族历史上出过什么著名人物，受过何种褒奖，或有奇才异行，为家族争光者，都要大写特写。妇女本来在家谱中是没有什么地位的，但如果是节女、烈女，受到政府褒奖，立了牌坊，则被视为全家族的光荣，家谱上要专辟一处，详细书写。可是，一个家族中难免有不肖子孙，直接写上，则有辱家声，一般采用除名的方式，俗称"出族"、"出谱"。除名这种方式由来已久，班固《汉书·景帝本纪》中明确记载吴王刘濞等为逆，除其籍，毋令污宗室。南朝梁武帝，因其长子萧综在前线投敌，不得已将其除籍。《新唐书·宰相世系表》最末记载：

"侯希逸亡其世系，李辅国中官也，仆固怀恩叛臣也，朱泚、王建、朱全忠皆削而不载。"具体何种人出谱不书，各个家族都有自己的规定，基本上是不得沦为奴仆娼优等贱民，不得从事低贱行业，不得违法乱纪。其中尤以光绪年间何乘势等所修的《方何宗谱》规定得最为详细，一共九种人削名不书：计有男子为乐艺、僧、道、义男、奸盗、过恶、并犯祖茔、盗卖坟地、嫁娶不计良贱。另外还有六种属于冒大不韪之事，只要沾上其中一点，也都削名不入谱：第一，弃祖，凡忤逆不孝，凶暴横行，殴打兄弟致残者，殴打族人致死者，嫖妓所生的儿子等，都属弃祖，一律不准入谱；第二，叛党，藐视国法，参加叛乱，大逆不道，以致欺君蠹国虐民者和为吏舞文弄弊，连累宗族者都属叛党类，同样不准入谱；第三，犯刑，犯法受刑者，或无故将人缢死还想抵赖逃脱者都属犯刑，也不能入谱；第四，败伦，乱伦、同姓通婚等都不能入谱；第五，背义，其中与娼、优、隶、卒结婚的，丢失家谱者，修谱时不肯出钱者都属背义，不入谱；第六，杂贱，为人奴者，或从事娼、优、隶、卒等职业者，都属自甘下贱，不入谱。在孔氏家谱中，也规定了六种不准入谱的类型，依次为：不孝不弟干名犯义之人不准入谱，义子不准入谱，赘婿不准入谱，再醮妇带来之子不准入谱，僧道不准入谱，流入下贱者不准入谱。

封建时代的家谱纂修，出于抬高家族地位和声望起见，在追溯先祖时，必然要上溯到一个名人或皇帝方才罢休，哪怕是冒认攀附也行。如果我们仅从家谱来看历史，我们可能会得到这样的有趣结论，历史上的坏人都是既没有祖先父母，也没有子孙后裔的。这种自抬身价、炫耀祖先的陋习，从汉代起就已存在。魏晋、隋唐以至明清所修家谱，大多如此，姓萧的必为萧何后人，姓范的定是范仲淹之后。同时，在叙述家族籍贯时，大都往本姓最有名的发祥地靠近，徐姓的郡望必是东海，王姓定是琅琊，李姓必称陇西，刘姓则大书彭城，周姓都是汝南等等。至于如何传下来的，则又语焉不详，似乎不如此这般，就不能在社会上安身立命似的。即使一些著名人物也不能摆脱此习俗。明太祖朱元璋夺得天下后，要为自己修家谱，可自己出身贫穷，没有显赫的家世，也想冒认个有名的祖宗抬高身价，就想到了朱姓在历史上最有名的人物是南宋大理学家朱熹，但主意还没拿定。一天，见到一个姓朱的小官吏，朱元璋问他，你的祖先是不是南宋的朱文公，回答说不是，朱元璋这才醒悟，一个小官吏尚且不肯冒认名人为祖宗，我作为一国之君又何必呢，这才打消了念头。此外，在家谱行文中经常使用一些与身份不符的僭越之词，这些词本是专为帝王所用，如先祖始迁称为开基，置办产业写作创业，盖房称启宇，家道中落又再恢复称中兴，墓穴称龙形、凤形等等，其结果除了满足一时虚荣心外，可能还会引起一些不必要的麻烦。至于行文中没有做过官捏称作过官，小衔称大衔，妇女无品级而漫称淑人、孺人等等，更是常事。这些行为给家谱的严肃性带来了很大危害，影响了家谱的史料价值。

唐代以前家谱的政治作用较强，而北方又是中国政治、经济、文化的中心，豪门势族大多出于北方，因而，官修的家谱以北方居多。宋代以后修谱为个人之事，政府不再干预，修谱必须以一定的经济、文化水平为依托，南方的经济、文化相对发达，人们的历史意识

较强，因而，宋以后家谱纂修南方多于北方。总的来说，家谱纂修是内地多于边疆，汉民族多于少数民族。

从家谱纂修的体例上看，前代家谱侧重于世系，后代家谱侧重于人物和事迹，所以，续修的家谱通常比前修家谱增加了很多内容和篇幅。虽然后代家谱的直观性不如前代强，但其保存资料较多，价值也相对高一些。

家谱的流弊

家谱的流弊，主要是以内容作伪为特征，尤以宋代以后，明清两代为烈。

　　家谱，作为一种家族文献，自然具有强烈的自我意识。同时，家谱还具有敬宗收族，自我炫耀，提高家族自豪感、荣誉感与向心力、凝聚力，从而促进家族内部团结和提高家族社会地位的作用。因此，它自然要隐恶扬善，夸大甚至编造本家族历史与传统，使之显赫以骄人。此外，在中国封建社会，儒家文化是社会主流文化，为认同社会主流文化，又有许多家族在修谱时自觉不自觉地按照儒家礼教来塑造祖先形象，规范祖先言行，掩盖祖先劣迹，抹去不良痕迹。虽说许多谱书上都提到"信以传信，疑以传疑"，"循实记载"，"不虚实，不隐恶"等字样，但真正做到的并不多，大多数家谱，都在不同程度上存在着乱认祖先，伪冒名族，假托攀附，滥造世系，隐恶书善的毛病，直接影响到了谱书的史料价值。

冯氏始祖——冯文孙

　　家谱中作伪的历史由来已久，不同时代表现出不同的形式。在南北朝、隋唐、五代这段以官修家谱和政府掌握家谱为主的时期，作伪大多是通过别人之手来实现；自宋代以来家谱家族化之后，作伪则是由自己，即

修谱之人自己动手来完成。通过别人之手来实现大多带有很强的功利性，因为五代以前，个人的政治前途、经济利益与家族门第尊卑密切相关，谱牒是出仕的凭据之一，如能进入名门望族之中，出仕就有了保障，庶族如想进入望族，通过常规手段是不可能的，只能通过冒宗、联宗或篡改家谱等不正当手段来实现。而望族为了维护既得利益，也十分警觉，严防此类事发生。因此，五代之前，这种功利性很强的家谱作伪行为是违法的，一旦被发现，将受到严厉惩处。如六朝时谱学名家贾渊在撰著《氏族要状》时，受贿将鄙贱人王泰宝列入世族琅琊王氏谱中，事发后被捕下狱，差点儿保不住脑袋。后唐时名门柳膺将有关证明文书卖给同姓人柳居则，事发后虽遇大赦逃过死刑，但也罢官罚钱，声名狼藉。

自己作伪，功利性虽不是很强，也不明确违犯什么法律条文，但于情于理不合，也不符合封建伦理规范。虽然如此，可家谱之中自我作伪的传统却渊远流长，严格算起来，大概要从南朝齐、梁时开始。

在《南齐书·高帝纪》中，明确写着齐高帝萧道成是西汉开国功臣萧何的24世孙，《梁书·武帝记》中说梁武帝萧衍是萧道成的族侄，自然也就是萧何的25世孙。《南齐书》、《梁书》这部分内容的来源必然是齐、梁皇帝的家谱《齐帝谱属》、《梁齐帝谱》、《梁帝谱》等，这些谱书虽是他人修撰，但必定屈从于皇帝旨意，因此，也就等同于自己作伪了。对于齐、梁二帝

毕公高（西周初），本为姬姓，名高，周文王庶子。佐武王伐纣，受封于毕，遂以为姓。西周大臣。成王时受命与召公同辅康王。其后人毕万事晋献公，为魏国之祖。像载《上海潘氏家谱》。

是否真是萧何后裔，我们的回答是否定的。理由有三：1. 唐初李延寿修《南史》，对萧道成的家世只上溯到高祖萧整为止，连萧道成很重视的一个祖先西汉萧望之都没溯及，这只能说明后人虽然看到了齐朝的皇帝家谱，但不予取信。同样，对萧衍也是如此。2. 唐代著名学者颜师古就曾明确指出，后世萧姓之人大多妄相托附，都说是萧何后人。3. 萧望之汉宣帝末官至御史大夫、前将军、爵关内侯，与萧何相差一百多年，但在朝廷寻找萧何后人的情况下，并没有认为自己是萧何后人。这种萧姓后人妄相托附，以萧何为始祖的传统一直流传了下来。[①]冯尔康先生在对明人《新安萧江宗谱》进行考察后指出，仅谱中世系图本身就有14条错误，其中有些是抄自《南齐书》、《梁书》、《新唐书》的，可照抄还有抄错的，其始迁祖萧桢是名人之后和官员，也是编造的，编造的目的和作用就是可以上溯到萧何。除此之外，谱中还存在将他姓著名人物改姓窜入，或盗用别人事迹、世系等行为。古人这种谱上作伪行为绝非《新安萧江宗谱》这一种，自宋以后，已成为一种普遍行为。当时和后世学者也多有讥评，如文天祥就曾这样认为，宋代家谱中"凿凿精实，百无一二"。

姜太公

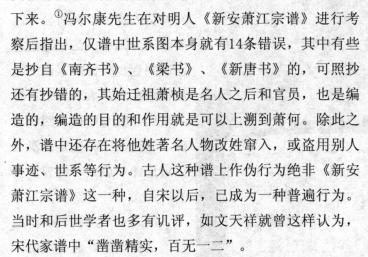

家谱的流弊

通观古代家谱中的内容作伪行为，归纳一下，大致表现在如下几个方面：

第一，在姓氏溯源上攀龙附凤，以上古和汉唐时

---

①冯尔康《古代宗族乱以名贤为祖先的通病——以明人〈新安萧江宗谱〉为例》，《第五届亚洲族谱学术研讨会会议记录》，508页。

期的帝王将相、贵胄名臣为本族的始祖或远祖，乱认他人为祖先。这种情况由来已久，是家谱中最常见的通病，宋元以后尤为明显，明清时期达到高峰，即使是以谨严、求真闻名的谱学大师欧阳修、苏洵也不能免俗。欧阳修即在自己的家谱中将远祖推到夏禹，中历越王勾践；苏洵也以颛顼为始祖，祝融亦是族内先人。以上古帝王、名臣为始祖或远祖的以明清最甚，通常，林姓上溯至比干，陈姓为南朝陈武帝陈霸先，李姓为李耳、李世民，洪姓为共工，张姓为张良，袁姓为袁绍，钱姓为少典、黄帝，萧姓为萧何，周姓为后稷，吴姓为太伯，姜姓为姜尚，赵姓为宋代帝室等等，不一而足。更有甚者，有些家族，还将一些民间神话人物如"杨司公"之类等列为始祖。这种流俗，还影响到少数民族家谱中，如福建畲族，大多以上古时高辛氏盘瓠为始祖，回族金氏、郭氏，则分别是西汉大臣金日磾和唐代名将郭子仪的后人。

第二，为提高家族地位，乱标地望。这种流俗，在家谱中表现得也很明显，

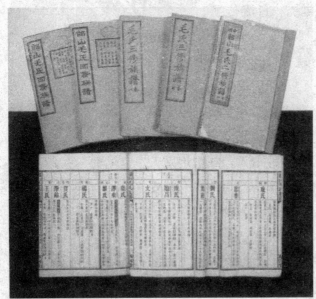

《毛氏族谱》

似乎比乱认祖先来得还要随意和心安，其中王必琅琊、李必陇西、张必清河、刘必彭城、周必汝南、顾必武陵、朱必沛国、钟必颖川，应已成为通例。这种流俗，也在汉文少数民族家谱中有所反映，如福建畲族中钟姓自标"颖川堂"，雷姓标"冯翊堂"，蓝姓标"汝南

堂"，俨然来源于中原巨室豪门，好不得意。

第三，世系虽长远，却不可靠。在明清以来的家谱中，通常将家族远祖或始祖上溯到远古时期，然后，历代世系十分清晰，数十代、上百代，代代不乱。可实际上呢？我们认为，世系大约在初修家谱中的十代之内基本可靠，十代之外，就要存疑；续修家谱，如果间隔时间不长，连续部分基本可靠，如果间隔长了，也还是有可存疑之处。这是因为，在中国古代，除了家谱之外，一个家族很少有连续不间断的家族记录。在新修家谱时，资料大多来源于回忆、附会或抄录史书、志书及其他图书，这些资料，在某些方面是可靠的，或本身是可靠的，但在两段资料的接续上和将这些可靠的资料附会到自己的家谱世系上时，可靠的资料对于这个家族世系

孔融（153—208），字文举，东汉文学家，鲁国（今山东曲阜）人，家学渊源，是孔子的二十世孙。是东汉末年一代名儒，继蔡邕为文章宗师，亦擅诗歌。

来说，就可能变得不那么可靠了。即使是被认为是中国最可靠、最翔实世系的孔子家族世系，在某些辈分上也有可商榷之处。孔族世系中，明确记载出现变故的，是四十二世孙孔光嗣于五代后梁末帝乾化三年（913）为庙户孔末所杀，其子孔仁玉出生方9个月，幸避于外祖家而得免于难，17年后的后唐明宗长兴元年（930）方才经朝廷杀孔末而复位。这段历史，家族记载虽然很明确，但也不乏可斟酌之处。孔仁玉之前的世系传承中，孔融这一支也有可商榷之处。孔融因讥讽曹操被抓，当时两个儿子，一个8岁，一个9岁，正在家中游戏，听到这消息，毫无惧色。孔融对抓他的使者说：能否仅罪及

己身，不伤及儿子。听到这话，他的儿子插话说：覆巢之下，是不可能有完卵的。后来果真如其所料，一同被害。这就是"覆巢无完卵"典故的由来。孔融这支在孔子家族世系中还是很重要的，连最可靠的孔氏家族世系都有可商榷与斟酌之处，那么，其他家族数十代世系的可靠性也就可想而知了。比如冯尔康先生在考察明人《新安萧江宗谱》时就发现，萧氏世系中除早期上溯到萧何、萧望之不可靠之外，即使是明代部分也不可靠。

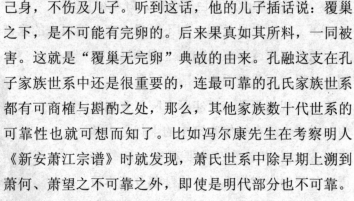

按说越近越准，可这本《萧江宗谱》却为了炫耀，还是将祖籍歙县的武安侯郑亨一支收入，并收入了褚能，以提高自己家族的尊贵感。这种在世系中滥造人物，混淆支派的行为，使人根本无法相信其真实性与可靠性。

第四，在一些迁入异地得到发展的家族中，大多在始迁祖身上大做文章。据陈支平先生《福建族谱》一书记载，福建属中国后开发地区，汉代以后，北方中原地区士民不断迁入，带来了中原地区先进的政治、军事、经济和文化制度，对福建地区社会经济的开发，

孙燧（？—1519），字德成，余姚（今属浙江）人。明官吏。弘治六年（1493）进士，历刑部主事，官至右副都御史，巡抚江西。谥忠烈。像载《余姚孙境宗谱》。

起到了决定性的作用。这其中，在西晋末的永嘉年间、唐初高宗时期和唐末五代时的三次移民过程中，迁入者大多是以统治者的身份进入福建的。这个历史事实直接导致后世福建家谱中出现一个重要特点，即各家族的始迁祖们大多都是在这几个阶段入闽的，而且都是有身份的官宦将领，并且都是子孙满堂，兰桂齐芳，子辈动辄数人、数十人，孙辈更达百余人。然而，只要仔细考察，就会发现，情况并不完全如此。比如，虽然开始介绍始迁祖时子孙良多，可落实到世系表中，则只能见到

一两个儿子的世系，其他均不可寻。又比如，为了高自标榜，在家谱中不断捏造前人的功名和官爵，有些竟到了不顾常识的地步，如西汉时"登进士第"之类，官爵也和所叙述朝代不符。更为可笑的是，在宋朝以前，家族中有功名、官爵且显赫的特别多，而到了明清，则十分稀少。这是因为明清之前资料稀少，可以尽情作伪，明清以后对科举和官履可以证明的材料太多，作伪容易露馅儿。可即使如此，作伪造假者仍然不少。此外，由于五代时河南光州固始县人王审知带兵入闽，被后梁太祖朱晃封为闽王，建立闽王朝，其子孙亲戚、亲兵将士自然也就成了统治者，显赫一时，后裔们虽然分居各处，但也自认为名门世族。这样一来，其他族姓纷纷仿效，不是将本家族入闽时间改到唐末五代，就是将本家族的中原籍贯改为光州固始，即使是那些比王审知更早入闽的家族，也有很多为这种风气所感染而改籍贯。

柴姓始祖高柴

　　第五，书善不书恶。家谱中为了炫耀家族，增加家族荣誉，提高家族地位，除了作伪攀附之外，另一个手段就是书善不书恶。在几乎所有的家谱凡例中，都有家谱写法的"不书"条目，即不让入谱的标准，大多是"不道、乱伦、乱宗、绝义、辱先"等，只不过详略程度不同而已。这样一来，使得所有家谱中只有好人、正人君子，而不见任何坏人，哪怕是自己的祖先也不承认，"我在坟前愧姓秦"大约是最好的写照。比如越州

杨氏，本是隋炀帝的后裔，可因其名声狼藉，大家都不承认。又比如蔡京、蔡襄都是福建仙游人，本不同宗，蔡襄先出仕，蔡京为攀附他，呼之为族兄，后蔡京成为大奸，为人所不齿，他的后人也都冒认蔡襄为祖先，而不认他。如果仅从家谱来看，就会发现这样一个有趣的现象，历史上的大奸大恶之人，如李林甫、秦桧之类，都是既没有祖先父母，也没有子孙后人，从哪儿出来的，真不知道。

第六，为了炫耀的目的，借助本姓、外姓中有地位人士来为族谱增光。比如，收入一些皇帝赐文，如圣旨、敕书、上谕、赐诗等等，以及一些官方文书，如告示、公文之类；同时，盛请历代外姓名臣硕儒为家谱写序作跋和本姓的名流硕彦撰写序文、赞词、颂诗等。可如果仔细考察，就会发现，这一切很多都是伪造的。由于民间修谱者大多非专门学者，缺乏专门知识和历史常识，因此，在自造的圣旨、告示等官方文书中常常存在诸如年代、官职、古今地名等常识性错误，使明眼人一看就知道是伪造或篡改。而名人序跋，则可以看出一些规律，存在着向全国知名人士、本地区知名人士和本姓知名人士集中的趋势，如苏洵、欧阳修是谱学大

尹氏家谱

家，文天祥千古流芳，家谱借重者最多。另外，在福建家谱中，由于蔡襄、杨时、朱熹、真德秀是乡梓名人，并各有建树，也被大量借用。此外，如方姓中的方孝

孺，李姓中的李光地等，也都有大量文字。可如果我们查看一下这些名人的传世文集，或比勘一下同时拥有这些名人序跋的家谱，则可看出，绝大部分不是为谱主写的，而是修谱之人移花接木，改头换面的结果，更有甚者，有的干脆直接伪造，代笔而为。

在家谱的主动作伪中，还有一种特殊形式——联宗合谱。这种方式起源很早，早在西晋时就已出现。这种方式功利性与非功利性兼存。如西晋时孙秀受重用，孙弼及其堂弟等与孙秀合族，以期得到官职和晋升。这种方式，在唐代也较常见。明清之后，

汉画像石中的孔子

这种现象更为严重，尤其以江西、福建两省最为普遍，不仅一般家族，就连一些大家族也是如此，并且出现跨地域的联宗修谱现象，也出现了郡望堂号合流的普遍认同。联宗合谱，祖宗合流之后，宗族势力大涨，在地方上所能发挥的作用也就越大，走到极致，必然引起统治者的警觉，这也是江西巡抚辅德上书皇帝，导致谱禁出现的原因之一。

在家谱撰写中进行内容作伪，明清以来，是一个普遍的现象。造成这种情况的原因是多方面的。当然，主观方面为了家族利益、家族荣誉是最主要的，但也不免有因资料不全、撰写者史学和文学素养不高、视野有限、不辨真伪、承袭了以前所修之谱的错误，或无法辨别和考证先祖和世系而出现错误。

无论是有意而为还是无意而为，家谱中资料的不准

确，从史料学的角度来评价是不可取的，但如从文化价值的角度看，又有其自身的积极意义。比如以道德功业为标准，摒弃不良祖先，向慕名臣名儒，增强宗族的荣誉感和向心力，起到凝聚、鼓舞族群的作用，这既是家族发展的一种现实需求，又与敬宗收族、慎终近远、标榜家庭血缘纯洁的修谱原则是并行不悖的。因此，对于家谱中的作伪行为，我们应该持有一种历史唯物主义的态度。

BI HUI YU PU JIN

避讳与谱禁

避讳，是中国历史上的一种特殊的文化现象。这种文化现象已经存在了数千年。避讳的产生，最早大约是源于古人为了尊崇已故去的祖先，或出于对自身无法知晓、无法抗拒的自然界或其他冥冥之中的事物的敬畏，不愿直呼其名而采取的一种变通方式。之后，随着社会的发展，需要这种变通的地方越来越多，家中的父、祖之名须避，与人交往时别人的父、祖之名也要避，社会公共生活中，国王、皇帝、外戚、官僚、贵族这些社会统治者，以致外国君主和大成至圣先师孔子的本名及其父、祖之名更要避，而且避得更严格、更认真。在很多特殊行业中，也存在着大量的避讳现象。

避讳作为一种社会规范被定型，大约是在春秋时代。《春秋》一书中就有诸如为子为臣，要为尊者讳、为亲者讳、为贤者讳的说法。《礼记》中也有入境问禁，入门问讳之礼。到了秦代，避讳正式规范化，唐宋两代，达到高峰。明清两代，尤其是清代康雍乾三朝，由于"文字狱"的关系，避讳被执行得最为严格，世人读书临文，皆须避讳，如有违犯，定惩不贷。

避讳的方式通常有改字、改音、加偏旁部首、去一字、空一字、缺笔、称字、改称呼和以"某"、"讳"、"上讳"等字代替等等。其中改字最普通，大多数为同义字。如避汉高祖刘邦讳，邦改为国；为避汉光武帝刘秀讳，秀才就变成了茂才；为避汉明帝刘庄

讳，庄改为严，庄子自然就成了严子，老庄之学也就成了老严之学；为避唐太宗李世民讳，厌世就成了厌代；淮南王刘安父亲名长，于是，《淮南子》一书中所有"长"字都改为"修"字。改字还有一种类型，即改字型结构。如为避唐太宗李世民讳，所有字中有民的部分全部用氏代替，这样，又新造了一批字。改音的如正月，为避秦始皇嬴政讳，正月改写成端月，读为"征"月。去一字的，如为避唐太宗李世民讳，观世音菩萨成了观音菩萨，李世勣成为李勣。空一字通常是空一格不写，或加方框，或称"某"、"讳"等。缺笔则是最后一笔不写，如孔子之名丘，古代读书人写到此处，一般都采取缺笔。有关这一条，我们在《红楼梦》中也可见到，林黛玉小时在家上学，写到敏时，也缺最后一笔，是避她母亲贾敏的讳。加

挖掘出来的家谱碑

偏旁部首的，如清雍正皇帝雍正三年（1725）下诏：为避孔子讳，姓氏中的丘全部改为邱，而地名中的丘或换字，或加偏旁也就成为邱，并改读音为"期"。至于因避讳需要

不称名而称字的则更多，"庙讳"、"上讳"则是写到
皇帝的名字时用。这其中最荒谬的还是改
称呼，如五代时浙江人为避越王钱缪讳，
改石榴为金樱；杨行密统治扬州时，扬州
人为避其讳，称蜜为蠲（蜂）糖；薯蓣在
唐代因避唐代宗李豫讳，改为薯药，到了
宋朝，又要避宋英宗赵曙讳，干脆改为山
药。这种恶例一直延续到民国年间，元宵
一词由来已久，可到袁世凯当政时期，因
与"袁消"同音，被改为汤团。

　　避讳的对象、内容，在不同时代，也
是不尽相同的。总而言之，是越到后世越
繁复，越严格，范围也越广。比如早期，
在秦朝，只要避皇帝及其近几代祖先的名
讳就可以了。汉代以后，社会生活中避讳
面扩大，诸如太子、太后、外戚、割剧一方的军阀、豪强
及外国君主的正名、表字、小名都得避。如晋简文郑太后
名阿春，于是，为避讳，《春秋》一书在晋代就成了《阳
秋》。不仅如此，还发展到除避名、字的本字外，就连一
些读音相同、字形相近的字都要避。避字音相同的最有名
的例子莫过于"只许州官放火，不许百姓点灯"了，州官
名田登，自然不许人提"灯"而叫火，元宵节放灯，告示
为"本州依例，放火三日"。此外，在唐朝，"丙"皆作
"景"，是避唐高祖之父李昞之讳。五代时朱全忠曾祖名
茂琳，戊与茂字形相近，改为武；朱全忠父亲名诚，城与
诚不仅音同，字形也近，避讳改为墙，于是，后梁一代，
城隍庙都成了墙隍庙。到了宋朝，又明令百姓取名不许用
龙、天、君、玉帝、上、圣、皇等字。清朝建立，由于是

葛氏家庙图

117

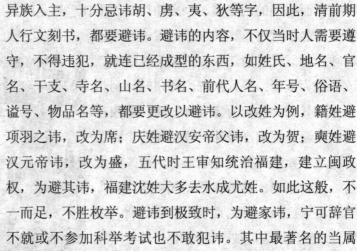

异族入主，十分忌讳胡、虏、夷、狄等字，因此，清前期人行文刻书，都要避讳。避讳的内容，不仅当时人需要遵守，不得违犯，就连已经成型的东西，如姓氏、地名、官名、干支、寺名、山名、书名、前代人名、年号、俗语、谥号、物品名等，都要更改以避讳。以改姓为例，籍姓避项羽之讳，改为席；庆姓避汉安帝父讳，改为贺；奭姓避汉元帝讳，改为盛，五代时王审知统治福建，建立闽政权，为避其讳，福建沈姓大多去水成尤姓。如此这般，不一而足，不胜枚举。避讳到极致时，为避家讳，宁可辞官不就或不参加科举考试也不敢犯讳。其中最著名的当属唐代诗人李贺，其父名晋肃，为避讳，不参加进士科考试。即使参加考试，如果考题中有犯家讳的，也必须马上中止考试。其他如写《后汉书》的范晔，其父名泰，被任命为太子詹事，因避讳而不就；北朝李延实祖父名宝，他也就不敢就任侍中太保的官职。由于孔门第二代叫孔鲤，因此，孔氏家族讳"鲤"字，祭祀也不用鲤鱼，鲤鱼被称作红鱼、福鱼。杜甫的母亲名海棠，杜甫一生写诗三千多首，留下的有一千四百余首，其中有大量的田园诗，但就是没写过咏海棠的诗。

由于各时代避讳不同，还会导致一个古人在不同时代不断被改名的情况出现。如《史记音义》作者徐广，南朝刘宋时人，隋朝时为避炀帝杨广讳，以字为名，被写成徐野民，到了唐朝，要避唐太宗李世民讳，又被改写为徐野人。

在避讳中，还有一种极特殊的类型，即因为厌恶而避讳。如"安史之乱"之后，唐肃宗极恶安禄山，于是，郡县名中，有安、禄二字的，通通改掉。由于这两字在汉

古代齐国上卿《蔚阳淳于氏家谱》

字中是褒义字，地名使用者很多，因而，据不完全统计，有三十多个郡县被改名。此外，南宋因与金朝是世仇，因此，宋皇帝写金全部用今代替。明初民间追恨元人，民间贸易文书中元年全部都写成原年。更有甚者，明末有个叫李畓和的，因耻于与李自成同姓，而上书改姓理。

遇到需要避讳之处而严格执行，这在当时是正确的态度，如若不然，则是犯讳，都必然会受到社会舆论的谴责或以大不敬的罪过受惩罚。如若用了与自己身份不相符合的文字或物品，则是僭越，尤其是在社会政治生活中，更是如此，轻则受责、罚俸、丢官，严重时还会丢脑袋。如明正统年间，山西乡试的试题是"维周之桢"，犯楚王讳，出题考官罚俸。因犯讳处罚最重的是清乾隆年间王锡侯的《字贯》案，江西举人王锡侯，编了一部字典《字贯》，仅在凡例中列举了康熙、雍正两朝庙讳和乾隆御名，又将庙名和御名列在孔子之后，引起皇帝强烈不满，遂兴大狱，按大逆罪问斩，且株连多人，子孙7人为斩监候，秋后处决，妻媳及未成年之子给功臣家为奴，家财籍没入官，所写所刻的书一律销毁，就连支持他编《字贯》的封疆大吏也因"失察"而革职，实属骇人。属于这类的还有雍正四年（1726）江西学政查嗣庭所出考题"维民所止"和乾隆二十年（1755）广西学政胡中藻所出考题"乾三爻不象龙"，都因为犯了雍正与乾隆讳，不仅自己被杀，还连累了家人朋友。而实际上，"维民所止"出自《诗经》，"乾三爻不象龙"出自《周易》，你

孙叔敖墓

孙叔敖，名敖，字孙叔，出生于楚故都纪南城附近的海子湖边，是楚国历史上著名的政治家、军事家。孙叔敖虽贵为令尹，功勋盖世，但一生清廉简朴，多次坚辞楚王赏赐，家无积蓄，临终时连棺椁也没有。孙叔敖的高尚品格，备受后人赞誉。历代文人墨客瞻仰孙叔敖墓，写下了不少咏赞的诗篇。

说他们冤不冤?

　　避讳这种特殊的文化现象,一直充斥在中国封建时代的日常生活和历代流传的图书文献之中,作为古代文献之一的家谱,虽然是一种私隐性很强的文献,但也不能例外。

　　家谱中的避讳,在汉代就已出现,从保留至今的东汉时所立的《孙叔敖碑》和《三老赵宽碑》就可看出。此二碑为他人所立,在行文中对所叙人物,大部分称字而不称名,这是汉代人避尊者讳常用的一种方式。汉代以后的一千多年里,修谱中一般需要注意技术处理的仅仅是文字避讳问题,如避当朝皇帝讳、尊者讳等。然而,随着修谱的普遍化和明朝中后期谱书中大量出现的族源上溯到上古的三皇五帝或前代皇帝,或为了高自标赏,谱书中出现大量虚假和僭妄的内容和文字。可由于家谱的私隐性和明后期政权的无力,这种现象得以延续并得到蔓延。

　　清朝建立后,情况发生了变化。由于异族入主导致的政治嗅觉敏感和政权的强大与清朝统治者在文化、思想领域的刻意所为,修谱就不仅仅是文字上需要注意避讳的问题了,政府对谱书的内容、格式也有了些具体要求,一些内容被严格禁止,不能违背。皇权的触角终于伸向家谱这一纯粹私人的角落中,这就是通常人们所说的"谱禁"。

　　清政府对私人纂修家谱进行直接干预,主要集中在乾隆年间,大约形成两次高潮。

　　第一次发生在乾隆二十九年(1764)。前一年,辅德出任江西巡抚,上任后,发现治下江西境内大量出现合族建祠现象,几个本来没有关系或关系不大的同姓家族,

贺秀夫(南宋),字懋庸,昆陵江村(今属江苏常州)人。南宋大臣。进士,累官广东提刑淮南转运权兵部侍郎,官至刑部尚书擢龙图阁学士、参知政事。卒年八十岁。像载《江村贺氏宗谱》,1923年诒安堂木活字本。

在省城或府城合资建立一座祠堂，供奉所谓共同的祖先，借以收敛钱财，导致祠产纠纷不断增多。同时，受当时风气影响，各家族在纂修家谱时大都远攀古代君主作为自己的祖先，如姓周的祖先必是后稷，姓吴的祖先必是泰伯，姓姜的祖先必是姜太公，人人以华族帝胄自居。行文中也经常出现一些僭越之词。这种不正常的情况，引起了他的注意。一年后，他给皇帝上书，希望采取措施，改变这种

状况。根据他的奏章，乾隆皇帝觉得这是一个普遍的问题，绝不仅仅存在于江西一省，于是，下令各省督、抚和地方官员留心稽查，也就是说对所属地区家谱内容进行审查，并明令禁止不准在省城、府城内合族建祠。辅德深受鼓励，在江西境内全力执行，逐族审查，调验谱书，果然发现问题很严重：江西各族谱中，始祖推到唐、宋，已属近代，而以两汉之前，三皇五帝为始祖者，比比皆是，甚至已远涉到盘古地皇，最荒唐的是一些只见于稗官野史、小说话本中的人物，如雷震子之类，也被奉为始祖。据统计，江西境内家谱中载有荒诞不经始祖的共有1016姓，足见这种现象的普遍。辅德在清查的基础上，下令所有这些一律删除，并毁其版，而以始迁本地或世系分明者为始祖。家谱修成后，必须经官府审查无误，盖印后方可分发。清朝初年的顺治、康熙、雍正三帝，原本出于维护封建统治的需要，均是热心鼓励各家族纂修家谱的，目的是想通过以编修家谱、弘扬宗族伦理来和宗睦族、联络疏远，达到稳定社会秩序的目的，可万万没想到，最后出现

《四库全书》丛书名。清乾隆时编纂。1772年开始，经十年编成。中国古代最大的一部官修书，也是中国古代最大的一部丛书，分经、史、子、集四部，故名四库。"四库"之名，源于初唐，初唐官方藏书分为经史子集四个书库，号称"四部库书"，或"四库之书"。

的某些负面后果竟到了不得不采用政治力量进行干预的地步。这一次谱禁，除江西辅德是主动而为之外，其他各地官员大多为被动而为。

乾隆中期，是谱禁的第二个高潮。此时情况发生了变化，各地方官员为了自身利益，大多积极主动而为。这次谱禁的背景是清修《四库全书》和"文字狱"的风行。特点是重点查找、删改家谱中的僭妄、违碍字句。乾隆三十八年（1773），清开四库全书馆，两次下诏求书，真实意思是维护封建文化专制，查禁违碍书籍。之后，又多次发布上谕，叮嘱此事。乾隆四十三年（1778），四库全书拟定的查办违禁书籍条款九则正式颁布，将查缴禁书的时限由晚明提前到宋元，并多次兴起大狱。在这种背景下，各地方官为了自己免受牵连，也都积极、主动地厕身其中，形成一个全国性的"皇上厘定文体"的行动，家谱自然也不能例外。据当时的相关谱序记载，家谱之中，如有僭妄字句，一律须删改，最后还得由地方官审定，方可付梓印行。在这期间，发生了多起家谱中用词或体例不当而被官员举报的案例，最后的处理也就是将版片和所有家谱尽行销毁，并没有殃及人身。这在当时"文字狱"盛行的大环境下，实属万幸。

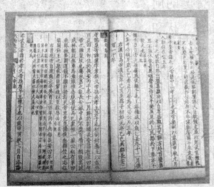

帝系表

清代谱禁的内容主要表现在如下方面：

首先，祖先名字如果犯了庙号、御名、亲王名直至孔子名讳的，一律改用同音字以避之。这就是说，很多人要为自己的祖先改名字，这是一件很不舒服的事，可也没办法，现实的脑袋和饭碗要比死去的先人的名字重要得多。当然，避讳也不仅是针对一般人家的，即使是皇帝家谱——玉牒，写到皇帝名字时也要避讳，或用一块黄绫盖住名字，或只写庙号、谥号。

其次，在追溯祖先时，不准妄自攀援，只能以五世祖为始祖，或以带领全家或全族迁至当地的祖先为始祖。在清朝，只有皇家是最高贵的，其他百姓均是治下子民，如果攀援到几十代、上百代之外的祖先也是皇帝，以帝族自诩，岂不混淆视听，引起混乱吗？以五世祖或始迁当地之祖为本家族祖先的上限，则一切人家最多只能是豪门世家，祖先也是子民，现在仍为子民，心安理得，不存邪念。

第三，谱书结构上不准出现"世表"、"传赞"之类名目，以符合庶民身份。世表、传赞等是史书体例，世表在史书中只能用于皇亲国戚、达官显贵，传赞也不是

祖宗画像石

普通庶民之家所应该使用的。为此，世表一律改成世谱，传赞取消。同时，谱中还不准刊载祖先画像。此外，对于明代以来家谱中经常采用的、原先只供形容古代帝王诸侯的用词，如始迁为开基，置业称创业，造屋称启宇，复兴称中兴等僭妄之词，一律恢复原称。

第四，行文中遇到清代的年号，要换行抬一格写，有时

123

考虑到不断换行，太浪费纸张，也可采用在本行空一格再写，以示尊崇。在行文中如有晚明的年号，一律删掉，换算成清朝年号，或直接写明唐王某年或桂王某年。

此外，文人惹祸全在笔端，因此，对于家谱中艺文类的文章要严加审查，只要有违碍文字，一律抽改，更有许多在此时新修的家谱，干脆取消这方面的内容，不要艺文类，以保无虞。

谱禁严格时期，很多家族在家谱修成之后，不顾家谱不外传的规矩，恭恭敬敬地送交地方官员审查，以保安全。就连贵为世代一品的孔府家谱也不例外。如乾隆九年（1744）孔府依例甲子修谱，谱成三十多年后，于乾隆四十七年（1782）又由衍圣公府下令各户，收回原本，改刊重印。由于当时收回得不彻底，至今尚能见到原本，用改刊本对照原本，出入很多，主要是删改和削减，抽去了若干不妥的内容。

然而，宋代以后的家谱，都由私人所修和珍藏，很少会流传出去。再说，子孙给祖先改名字，本身就不符合传统的道德准则；家谱的序、传、艺文，通常是修谱人家用以炫耀家世之所在，不容粉饰，据实而言，又何以能够骄人；先人画像，原也是家谱的特色之一，如果去掉实在也是使人感到遗憾的。因此，即使在谱禁最严厉的时期，除了一些较为谨慎或有人在朝廷做官的家族比较严格遵守之外，一般家族大多没有严格遵守。尤其是嘉庆、道光之后，政权统治力下降，统治者对思想文化方面的控制逐渐放松，再加上全国新修家谱数量激增，无论是哪方面，都已没有精力或不可能再一部一部地审查所有家谱了，清代的谱禁也就逐步取消了。

HUANG SHI JIA PU——YU DIE

皇室家谱——玉牒

中国古代社会，是建立在封建宗法制基础之上的，历代均实行君主世袭制和表现形态不同的勋亲分封制。因而，历代对于王朝皇族（先秦时期是王族）的世系支派、亲疏远近均特别重视，设有专门机构进行管理，并陆续建立了系统完备的宗室世系簿籍，形成了中国历史上源远流长、相沿不辍的皇室家谱，即玉牒系列。这是一类最为高贵，也是最为特殊的家谱。

皇室家谱古已有之，而用玉牒命名则晚了许多。玉牒一词最早出于何时，已不可考，但不会晚于唐文宗大和二年（828）。据《唐会要》卷六十五"宗正寺"条记载，太和二年，修玉牒官李衢等人奏称："窃以圣唐玉牒，与史册并驱，立号建名，期于不朽。乞付宰臣商量，于玉牒之上，特创嘉名，以光帝籍。"最后，皇帝赐名为"皇唐玉牒"。这是唐代，也是我国历史上皇族谱牒称为"玉牒"的最早和最明确的记载。实际上，玉牒名称的使用，应该还要早于太和二年，从行文中"圣唐玉牒""于玉牒之上"即可看出，只不过这一年是正式把玉牒赐名为"皇唐玉牒"。

唐朝之前，除了可能用玉牒之名外，皇室家谱的名称大致有"世谱"、"帝谱"、"宗簿"、"皇帝宗族谱"、"宗谱"、"辨宗录"、"皇室谱"等等。文宗太和二年之后，玉牒方才成为皇室家谱的主要名称，但绝不是唯一名称。根据收录内容的不同，还有诸如"天潢源派谱"、"偕日谱"、"皇孙郡王谱"、"县

主谱"、"宗系谱"、"宗藩庆绪录"、"仙源积庆图"、"仙源类谱"、"宗支"、"宗属亲疏服图"、"主婿"、"景源积庆"等名称。

玉牒的收录范围，在不同的时代是不完全一样的。除了通常记录皇室所有成员之外，还有专记皇帝的，如前文所提的"于玉牒之上，特创嘉名，以光帝籍"，大约是只记皇帝，不及宗室；有专记皇后的；有记帝系的；有记皇子皇女的；有专记皇帝女婿的；也有记录整个宗室的，不一而同。

关于皇室家谱最早出现于何时，也有不同的说法。根据司马迁的记载，上古时期已有谍记、谱谍、谱牒一类典籍，他在撰写其不朽著作《史记》时，就曾使用过这些文献。类似文字，《史记》中多有出现，只不过这些谱牒太过简略，仅记载帝王世系与谥号，导致太史公一再慨叹"谱牒经略"，"谱牒独记世谥，其辞略，欲一观诸要难"。

商代甲骨谱牒的出现，也为皇室家谱起源很早提供了佐证。虽然前面说到的武丁时期的兽骨刻辞由吹到𡚾十一代的世系还不能证明为这就是商王朝的王室家谱，但由于存在于商代王室的档案库中，其中的某些关联性还是可以理解的。从理论上说，早在奴隶制时代，王室就有了系统记载家族世系的谱牒，后人曾根据这些王室家谱编成了一部先秦时期王室、诸侯世系总谱——《世本》，此书也曾被司马迁引用过。

皇室家谱，无论在奴隶制时代，还是在封建时代，都是最受重视的，历代均设有专门机构负责编修和管理，远在周代，即由小史掌管王族世系，也就是王族谱牒。《周礼》称：小史"奠系世，辨昭穆。若有事，则诏王之忌讳"。这就是说，小史负责定立王族的世系，区分族人的长幼辈分和亲疏远近，遇有祭祀等事，则告诉君王先祖的死日和名字。小史记下的各代世系，也就形成了周王族的谱牒。周代的谱牒，如今也偶有传世，这就是刻在周代钟鼎上的金文谱牒，其简略类于甲骨谱牒。

战国时期，诸国也都设有专官负责管理王族谱牒，如屈原曾担任的楚国三闾大夫之职，据后人王逸《离骚经》解释："三闾之职，掌王族三姓，曰屈、昭、景。屈原叙其谱属。"也就是说，是掌管王族谱牒之官。

秦王朝建立，首次设立宗正一职，专事负责管理皇族事务和掌修皇族谱牒。汉朝代秦后，于高祖七年（前200）始"置宗正官以叙九族"。平帝元始四年（4），改宗正为宗伯，王莽时又将宗伯合并于秩宗。后汉恢复宗正的设置，设宗正卿一人。两汉宗正官员，皆用皇族中人担任而不用外姓人。《汉书·百官表》说："宗正，秦官，掌亲属。"所谓"掌亲属"，具体地说，就是如《后汉书·百官志》所说的，"掌序录王国嫡庶之次及诸宗室亲属远近，郡国岁因计上宗室名籍"。"又岁一治诸王世谱，差序秩第"。由此可知，汉代的同姓诸侯王每年要随岁计上报宗室名册给宗正，宗正则根据这些名册而每年一修皇族谱牒，以序列宗室与皇帝的嫡庶之分和远近之别。大约在汉初百余年间，郡国上报的宗室名籍可能不太详细，从而导致皇族谱牒记载不明，以致司马迁在《史记·太史公自序》中感叹说："汉兴以来，至于太初百年，诸侯废立分削，谱纪不明，有司靡踵强弱之原。"汉代宗正纂修的皇族谱牒，很少流传外间。《汉书·艺文志》仅著录了《帝王诸侯世谱》一种，二十卷。

汉代的宗室子弟，一般都可载入皇族谱谍，此谓为有"属籍"。如果犯了一定的罪过，就要绝其属籍，开除出皇族谱牒。但若遇到皇帝开恩，还可再复其属籍，重新载入皇族谱牒。有属籍者，可以享受一定的特权，特别是授官封爵，往往根据皇族谱牒上所记载的亲疏关系来进行。《后汉书·卢植传》中所说的"同宗相后，披图按牒，以次建之"，大概就是对这种现象的一种概括。

三国时，**魏**国设有宗正卿一人，"掌叙亲属及宗室犯法"。宗正卿偶尔也由皇族以外人士担当。吴国也有宗正卿的设置。蜀国缺乏记载，但蜀以汉室正统自居，其制度当如汉朝，宗正之设断不会缺。西晋时设有宗正，"统皇族宗人图牒"。宗正除置卿外，还置丞、功曹、主簿、五官等员，也兼以庶姓担任。南渡后，从桓温所奏而省去宗正，并入太常。由于历史久远，魏晋间宗正所掌的皇族图牒，并未见于史籍著录。

《天潢玉牒皇朝本纪》

南北朝时期，南朝宋齐两代沿用东晋制度，不设宗正，而以太常管理属籍。梁武帝天监七年（508）恢复宗正卿，"主皇室外戚之籍，以宗室为之"，并设丞、主簿等属官。陈代因之，但可以由庶姓担任。《隋书·经籍志》、《旧唐书·经籍志》、《新唐书·艺文志》、《通志·艺文略》等目录著录的《宋谱》四卷、《齐梁谱属》十卷、《齐梁帝谱》四卷、《齐梁宗簿》三卷、《梁帝谱》十三卷等书，都是南朝的皇族谱牒。北朝时期，后魏、北齐都设有宗正卿、少卿、丞等官。后魏宗正卿"用懿清和识参

130

教典者"担任，"先尽皇室，无则用庶姓"。后周则设宗师大夫"掌皇族、定世系、辨昭穆"。后魏的皇族谱牒见于各书著录的有《后魏谱》三卷、《后魏皇帝宗族谱》四卷，都可能出自宗正的纂修。另外，后魏宗室元晖业还撰修了《后魏辨宗录》二卷，记述北魏藩王的家世。北齐的皇族谱牒有《齐高氏谱》六卷、《后齐宗谱》一卷。后周太祖时，曾令丞相府右长史宇文测"详定宗室昭穆远近，附于属籍"。这实际是重修了一次皇族族谱。武帝时，又敕令鲍宏修撰《皇室谱》一部，全书分帝绪、疏属、赐姓三篇。此外，周代还有《周宇文氏谱》一卷见于后世著录。

隋代也有宗正卿之设，并同样设有少卿、丞、主簿等官，但未见有隋代的皇族谱牒著录。

唐代一直设有宗正寺（中间一度改为司宗寺、司属寺），设卿一人、少卿二人、丞二人、主簿二人、录事一人。宗正卿"掌皇九族六亲之属籍，以别昭穆之序，纪亲疏之列"。宗正寺大小官员，皆从宗室中选择有才行者担任。唐后期，在宗正寺还专门置立图谱院，设知图谱官一人、修玉牒官一人。

早在唐朝初年，宗正寺便建立了皇族谱牒，并保存得相当齐全。唐代宗正谱牒的完整，是与实行"凡五等亲有升降，皆立簿籍，三年一遣"的制度分不开的。只是到了唐代晚期，宗正报送簿籍的制度才逐渐废弛，从而使宗正谱牒出现紊乱。宣宗大中六年（852），宗正寺报称宗正谱牒"近日修撰，率多紊乱，遂使冠履僭仪，元黄失位，数从之内，昭序便乖"。为了改变这种状况，重整皇族谱牒，宗正寺请求自后"宗子自常参官并诸州府及县官等，各具始封建诸王及五代祖及见在子孙，录一家状，送图谱院"。这一建议的批准实行，在

一定程度上继续维持了唐代宗正谱牒的绵延不辍。

唐代的皇族谱牒，不仅比较完整，而且类型较为丰富，大致有如前所述专记帝籍的"玉牒"，专记皇后的"皇后谱牒"，专记帝系的"天潢源派谱"，专记皇子皇女皇孙的"偕日谱"、"皇孙郡王谱"和"县主谱"之类，还有记录整个皇族的"宗室谱"。

五代时，各朝也有宗正寺之设，其官也以宗室为之。这一期间，宗正寺也曾修撰了一批皇族谱牒。如梁开平五年（911），宗正卿朱逊、图谱官朱损之曾撰述《天潢源派》二轴上进。晋太祖时，宗正卿石光赞也曾纂成玉牒，其中还曾追及皇族之先祖。

宋朝建立，依照前代制度，设立宗正寺，掌管"宗室赐名、立名、生亡、婚娶注籍，纂修三祖下藩庆系文字"。宗正寺的属官，均由宗室担任。后因大宗正司设立，方才可以由外人担任。宋朝对玉牒的纂修，非常重视，一度还曾专门设立玉牒所，专门掌管纂修和收藏玉牒。

宋代宗正寺纂修的皇族谱牒共有五种：一种是玉牒，"以编年之体叙帝系而记其历数。凡政令赏罚、封域户口、丰凶祥瑞之事载焉"。一种是属籍，"序同姓之亲而第其服纪之戚疏远近"。一种是宗藩庆系录，"辨谱系之所自出，序其子孙而列其名位品秩"。一种是仙源积庆图，"考定世次枝分派别而系以本宗"。一种是仙源类谱，"序男女宗妇族姓婚姻及官爵迁叙而著其功罪生死"。宋代曾经规定，宗藩庆系录每年修纂上进，送交皇帝审查，仙源积庆图三年一进，其余三种十年修纂一进。但实际上并未严格实行。

宋朝玉牒始修于太宗时代，一般每朝一牒。北宋年间后朝所修玉牒，东京陷落时全部落入金人之手，遭到毁灭。于是，南宋建立后，又重修历朝玉牒。宋朝制度，宗室无论男女，其出生、赐名、授官、婚姻、生子、死亡等事，都要报送宗正寺或玉牒所，载入祖籍，以备纂修谱牒时用。宋代的玉牒，除记载皇帝世系之外，更大量地记载本朝的大事，其体例相当于正史的帝纪，但稍详，后面还不时有皇后事迹，这在历代玉牒中是非常特殊的。正因为如此，宋代纂修玉牒时，除使用报送的资料之外，还要参考一部分史书。

宋代玉牒的书写装帧材料都比较讲究，真宗咸平四年（1001）曾规定"书以销金花白罗纸，金轴，销金红罗褾带腹，黑漆金饰匣，红锦裹，金锁钥"，为卷轴装。神宗时，又因轴大难于披阅，诏改以黄金梵夹装。南宋也仍然如此。宋代玉牒的进呈本，一般建有专馆收藏。

辽代早于太祖神册二年（917），即仿唐代的宗正寺，置大惕隐司，以"掌皇族之政教"，官员也以皇族为之。及得燕云之地后，又设南面三省六部。其中宗正寺职在大惕隐司，设卿、少卿等员。以历代制度推之，大惕隐寺当也掌皇族谱牒。可惜辽代皇族谱牒从未见于记载。

金代初置为大宗正府，章宗泰和六年（1206），因避睿宗讳，改为大睦亲府，其官员皆以"皇族中属亲者充"。《元史新编·艺文志》著录的《金重修玉牒》，就是章宗承安五年（1200）由大睦亲府修成上进的。金代皇族谱牒在宣宗贞祐二年（1214）元兵攻占中都时，损失严重。故《金史·宗室表》称："贞祐以后，谱牒散失，大概仅存，不可殚悉。"

元代于世祖至元十七年（1280）开始设立大宗正府。但"元之宗系藏之金匮石室者甚秘，外延莫能知

也"。正由于元代宗系秘不示人，故元代的皇族谱牒也不见录于我国史籍。值得提及的是，元朝的西北三藩国之一的伊利汗合赞曾于伊斯兰历700年，即公元1300年至1301年下诏，让他的宰相拉施特编纂一部详细的蒙古史。此书后于公元1310年至1311年全部编成。这部波斯文著作的主要部分，都比较完整地保存了下来，近年被转译成汉文，以《史集》为书名出版。此书对成吉思汗的先祖、成吉思汗及其继承者的世系、事迹，记载得非常详细，包括了整个蒙元皇族的谱牒。

明初始设大宗正院，不久改为宗人府，掌管皇室九族属籍和修纂玉牒。按照规定，每年8月要将各王府新生子女的"生年月日并分嫡庶及生母姓氏"，奏报宗人府。另外，凡有"亲王、郡王、将军、中尉请名封、

清帝王告诫臣下的诏令、言辞称之为圣训。新皇帝嗣位后，令儒臣将先帝的诏令、言辞汇集成册。并每日晨读先皇"圣训"一节，以为施政的座右铭。

袭封及出阁封郡主、县主、郡君、县君、乡君并薨故等项"，也要奏报宗人府，宗人府分别注入"宗支簿籍"。宗支簿籍，男女分册记载，相当于清代的男女红名册。根据宗支簿籍，宗人府定期增修玉牒，开始时规定十年一次，但并没有得到坚持。

明代玉牒具载"宗室子女嫡庶、名封、嗣袭、生卒、婚嫁、谥葬之事"。其纂修体例，以嘉靖二十四年（1545）为界，前后颇有不同。这一年，根据礼部上疏，玉牒内第一册中总图（即世系图）改为表格，且以帝系为宗统，宗族中虽有系长出而在藩封及国初追封为王的，具在帝系后。这次体例的改变，一是适应皇族世系增多、人口增加、单张纸幅难以容纳的现实，改过去的总图为总表；二是适应加强皇权的需要，尊君而不尊长，改过去长子为统、以长幼为序的排

列方法为以皇帝为统、以尊卑为序排列，突出了皇帝在皇族中的地位。

　　历代皇室家谱，均属国家高度机密，极少流传民间，因此，各代编纂玉牒的确数，如今已无法统计，散见于后代文献记载的除前文所列举的之外，南宋尤袤曾在他的《遂初堂书目》中著录过《秦陵玉牒》、《仙源积庆图》、《本朝宗室图谱》等皇族谱牒。明代皇族谱牒见于当时及后人著录的有：《天潢玉

清代《玉牒》上谕档

牒》一卷，"不著撰人名氏，载明太祖历代世系及其自微时以至即位后事，略以编年为次。凡皇后太子诸王谥号封爵，皆详列之。书中称成祖为今上，则永乐时编也"。此书颇类宋代玉牒，书一代大事，与独记宗支世系的其他皇族谱牒有所不一样。此外，还有《玉牒》一部二册，明永乐十九年（1421）以前修；《明宗支》二卷，明初辑，男女各一册；《明主婿》一卷，"洪武中编仁祖及太祖亲王主婿谱牒"；《大明宗谱》一部一册、一部二册、一部三册，为记载诸王之玉牒；《大明谱系》一部一册；《宗属亲疏服图》一部一册。

　　非常遗憾的是，唐代以前的所有玉牒均已亡佚，流传至今的宋代皇族谱牒有：刘克庄纂《玉牒初草》二卷，为宋宁宗嘉定十一、十二两年（1218、1219）的玉牒，分别收于《后村先生大全集》和《藕香零拾丛书》中，传布较多；嘉定间史浩领修的《仙源类谱》宋抄本残四十卷、清抄本一百四十卷，分别藏于中国国家图书馆和上海图书馆；佚名纂修的《宗藩庆系录》宋抄本残二十二卷，藏于中国国家图书馆。明代的流传到今天的仅有《天潢玉牒》一卷，佚名纂，或题作明解缙撰，本书除幸存有明抄本外，并被收入《金声玉振集》、《纪

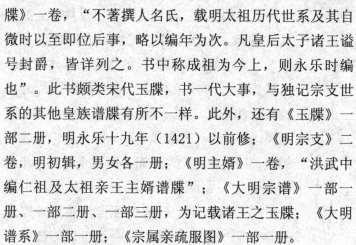

录汇编》、《胜朝遗事初编》、《丛书集成初编》、《景印元明善本丛书十种》等丛书中，因而流传较广。

在历朝皇室家谱中，清代皇室的玉牒是唯一保存得最为完整和最为系统的。据统计，中国第一历史档案馆，现存清代各类玉牒达两千六百余册，辽宁省档案馆也保存有内容大体相同的一份。

清代玉牒是入关以后方才开始编修的。世祖顺治十二年（1655）规定，作为皇家家谱的玉牒每十年纂修一次。六年后，也就是顺治十八年（1661）正式开始纂修。纂修的组织工作由专门负责皇族事务的宗人府承担，每次纂修均先由宗人府提请"钦命"，允准后由专门开设的玉牒馆具体实施。玉牒馆是与方略馆相类似的非常设性临时机构，通常修谱开馆，谱成即撤，由于清代规定玉牒十年一修，玉牒馆也就十年一开。玉牒馆的正、副总裁由皇帝从宗人府宗令、宗正和满汉大学士、礼部尚书、侍郎、内阁学士中挑选，另委任大学士一人任领催，负责玉牒馆与皇帝间的联系。以宗人府丞担任管校官、提调官，纂修官则由宗人府中理事官和满汉主事、内阁侍读、翰林学士及礼部司官担任，有时人数多达五六十人。玉牒修成之后，进呈皇帝，皇帝阅后认可，抄出副本，分送各处，同时，议叙、封赏与事人员，玉牒方告修成，玉牒馆撤销。十年续修时再援前例，修完即撤，每次纂修均兴师动众，耗资巨大。

与民间家谱纂修不同，民间家谱的续修是在原本基础之上，增加新的资料，重新增删，修成一部新谱。新谱、旧谱，详略不一，同时并存。而玉牒的续修，旧本不动，另作新谱，每次续修，均将前谱再抄一份，然

袁褧（1495—1573），字尚之，号谢湖，吴县（今江苏苏州）人。书画家、刻书家。诸生。工诗善书画，以所藏宋刻善本摹刻行世。像载《吴门袁氏家谱》。

后用红笔在末尾添上新生者，用墨笔将上次修谱后死亡者改为黑色。新谱完全包括了旧谱的内容，可以取代旧谱。

清代玉牒，在内容上，有宗室玉牒和觉罗玉牒之别。顺治年间规定，清代皇族从太祖努尔哈赤的父亲显祖塔克世算起，其直系子孙后代为大宗，称为"宗室"；显祖的兄弟及叔伯兄弟的子孙后代即兴祖、景祖的后代为小宗，称为"觉罗"。宗室、觉罗平时就有区别，宗室腰束黄带子，俗称黄带子宗室，觉罗腰系红带子，俗称红带子觉罗。反映在玉牒上，宗室玉牒为黄色封面，觉罗玉牒为红色封面，以示区别。无论是宗室还是觉罗，男女均不同册，分别载于不同名称的玉牒之中。

在编排方式上，清代玉牒有横格玉牒和直格玉牒两类，横格表示支系，直格表示辈分，二者在内容上详略不一，编排上各有所长，互相补充，构成一个完整的玉牒体系。

横格玉牒不录女子，分为宗室子孙横格玉牒（亦称列祖子孙宗室横格玉牒）和觉罗子孙横格玉牒两种。其基本形式为每页13行横格，每格代表一个辈分，辈分最高者写于卷首第一横格，其子孙后代依辈分递降，内容极为简单，只有入谱人姓名、宗支、房次、职衔、封爵、有无子嗣、生卒年月日时。宗室横格玉牒不记载皇帝本人情况，皇帝及其直系子女，单独编成帝系玉牒，按照辈分，每代皇帝及其皇子为一页。此外，在宗室横格玉牒中，还有一种单用汉字写成的被称作"星源集庆"，专门记载乾隆以后各代皇帝的子女后裔的情况，男女各分一份。"星源集庆"初修于嘉庆二十二年（1817），皇帝亲自题签，自此之后，成为一种定制。

直格玉牒也称竖格玉牒，每页16行竖格，原则上每辈修一册，男女分开，也有几代合订成为一册的特厚玉牒。直格玉牒分为四种：宗室子孙直格玉牒（亦称列祖子孙宗室竖格玉牒），觉罗子孙直格玉牒，宗室女孙直格玉牒（亦称列祖女孙宗室竖格玉牒），觉罗女孙直格玉牒。格式大同小异，一般一至二格记载一人。男子玉牒内容包括姓名、封爵、授职、生卒年月日时、享年、生母姓氏、妻妾姓氏及岳父姓名、职衔、子女、所授奖惩等，皇子还有封谥等情况。有关皇帝的记载尤为详细，除上述各项之外，还包括被立为皇太子的年月、即位年月日、谥号、庙号、生母姓氏及徽号以及后妃的晋封情况。由于皇帝后妃很多，不可能全部列入，因而，道光十七年（1837）以前，后妃生有子女，方准载入玉牒，道光十七年以后，改为皇后无论有无子女，均载入玉牒，皇贵妃以下生有子女载入，无子女者概不收录。皇帝的名字是要避讳的，玉牒中凡是出现皇帝名字之处，均用小黄绫盖住，以示敬重。多数情况是只写皇帝的年号或庙号，一般不直书皇帝名字。女子玉牒的内容比男子玉牒简单，只写生卒年月日时、享年、生母姓氏、外祖父姓名、职衔、成婚年月及夫婿姓名、职衔，不书名字，只写某某第几女，有封号的则将封号署于下面。

清代前期重要文书都是用满文书写，玉牒也不例外。有关皇帝的家系和生辰八字，属于最高机密，不能让汉人知道，参与纂修者只能是满族人，故清初顺治、康熙两朝所修玉牒只有满文一种。雍正元年（1723），方才准许汉官参与。因此，雍正以后纂修的玉牒，由满汉两种文字写成，格式、内容完全一样。此外，嘉庆以后纂修的横格玉牒"星源集庆"，却是只用汉文，没有满文。

清代玉牒资料来源于日常积累和撰写时的收集。平时，宗室和觉罗成员定期要向宗人府报告其家庭状况，包括本人名字、父祖世系、子女嫡庶、生卒、婚嫁、官爵、谥号、承袭次序、时间、秩俸、差遣等。清代初年规定，宗室、觉罗新生子女，由各旗首领等查询清楚后，每年正月初十日前造册报宗人府，一年一次，内容包括出生年月日时、嫡庶次第、名字、母某氏等，宗人府分别载入宗室黄册和觉罗红册，以备纂修玉牒时使用。后因皇族人口剧增，一年一次已不能适应，乾隆二十九年（1764）改为三个月报告一次，一年四次。为了保持皇族血统的纯正，又规定：凡生子不报，以有作无，或本无子嗣，抱养而来以无作有者，一经查出，除本人要被治罪，连负责官员也要一并处罚。嘉庆中叶迁回盛京（今辽宁沈阳）的皇族，每十年须向北京宗人府造报一次宗室、觉罗辈分支派清册。居住盛京的皇族载入玉牒时，均在人名旁注上"盛京居住"字样。

清代玉牒，规定十年续修一次，可在康熙、雍正两朝，不是过十年再修，而是到第十年就要续修完毕，实际只隔九年。乾隆朝才改成过十年续修一次，可是，乾隆七年（1742）重修完毕后，理应乾隆十七年（1752）再修，但事隔五年，于乾隆十二年（1747）又提前重修。清朝灭亡后，溥仪小朝廷又于1921年修了最后一次。因而，自顺治十八年第一次纂修玉牒始，清代的玉牒，一共修了28次。

玉牒修成之后，早期是抄写三份，一份"进呈御览"，皇帝览毕，藏之宫内皇史宬，另两份则分送宗人府和礼部恭贮。乾隆二十五年（1760）改为抄写两份，一份仍存皇史宬，另一份原送礼部的改为送回盛京（今

辽宁沈阳）故宫内敬典阁恭贮，每份均是满汉两种文字，宗人府仅存稿本。整个送贮过程，是非常隆重的，在钦天监选定的吉日，玉牒馆官员在总裁带领下，穿上朝服，对着玉牒行三跪九叩首礼，然后由宗人府和礼部组成的仪仗队吹吹打打送至皇宫，由皇帝审阅，文武百官于午门外跪迎，皇帝审阅完毕后，由太监捧出，再由王公大臣护送至皇史宬。送至盛京的玉牒，除出京时仍有上述这一套礼仪外，玉牒经过之处，各地方官员均要搭新棚迎送，出山海关后，由盛京将军派员专程迎接，玉牒到达盛京，官员均须穿朝服，出城跪迎，然后送至盛京故宫崇政殿陈设，再移到敬典阁恭贮。

清代皇族谱牒一直被视为神圣而严密珍藏，平时"除宗人府衙门，外人不得私看，虽有公事应看者，应具奏前往，敬捧阅看"。官员若有私藏，便要被严格追查究治。雍正时，即有大臣隆科多因将玉牒底本收藏在家而被群臣议以大不敬罪，遭到惩办。

皇室家谱规格也与民间家谱不同，十分宽大，纸张厚实，长度通常为90厘米，宽为45厘米，一本玉牒的厚度，大约有50—80厘米，最厚者竟达140厘米，400公斤，要四个大汉方能抬起，外面再用黄绫严密包好，放入龙柜收贮，龙柜有红、黄两色。由于玉牒正本太大、太笨，难以利用，现在只能作为文物保存。玉牒的稿本俗称小玉牒，规格为54厘米×31厘米，厚度一般为10厘米，便于利用。同时，小玉牒因系稿本，册内夹签、涂改、加注之处很多，研究价值不低于正式玉牒。原来保存于皇史宬的一部玉牒和宗人府的稿本玉牒现在归中国第一历史档案馆收藏。存放在沈阳敬典阁的一部，现藏于辽宁省档案馆。稿本玉牒已由中国第一历史档案馆整理完毕，编有详细目录，可供社会各界利用。

——《孔子世家谱》

名谱之最

古往今来，名谱众多。而其中，除皇室玉牒之外，民间修谱篇幅最多，记载家族、世系最可靠、最久远，影响最大的，当推孔府家谱——《孔子世家谱》，并且，至今谱名使用"世家"的，大约也只有曲阜孔府一家，尤其是经过清代谱禁审查之后，更是如此。

孔子塑像

"世家"一词，是正史中的一种体例，为汉代司马迁修《史记》时所创，即为诸侯或相当于诸侯的人写的传记。孔府家谱，原本并不叫"世家谱"，也同其他家谱一样，称"族谱"或"氏谱"。清康熙二十一年（1682）孔尚任主持修谱时，认为孔子家族在汉代就被司马迁尊为诸侯待遇，用"世家"之名，因此，以后修谱就不应再用"族谱"之类名称，以区别于其他家族。自此，"世家谱"之名正式得到确认。

孔子家族正式有谱，是在北宋神宗元丰七年（1084）。在此之前，孔府只有非常简略的谱系，只载嫡长子一人，传抄传世，很不完整。当时，官居朝议大夫的孔子四十六世孙孔宗翰有感于手抄本数量少，易于散失，而且谱上又只记录承袭者一人，其余族中贤达、显贵子孙既不得书于谱，又大多不见于史书，日久年

深，难免湮没无闻；当然，还有一层没有说出的理由，即经五代"孔末之乱"后，更须正本清源，保持孔氏血统纯正，于是，依社会流行的家谱体例，创修孔氏家谱，并刊印成册，分藏族内。其后四百余年，虽有多次续修家谱之举，但多未刊刻，内容也较简单，难以传世。元朝时，还曾将家谱刻在碑上，置孔庙崇圣祠院内。

明孝宗弘治二年（1489），孔子第六十一世孙孔弘干重修家谱，并规定今后孔氏家谱"六十年一大修，三十年一小修。大修以甲子为期，小修以甲午为期"。虽有规定，可不知为何，后人并未执行，直到一百三十多年后的明熹宗天启二年（1622）方才重修。此后，清世祖顺治十年（1653）、圣祖康熙二十三年（1684）、高宗乾隆十年（1745）、仁宗嘉庆十年（1805）相继大

建水文庙——孔子讲学处

修或小修，倒也基本符合规定。道光三十年（1850）、咸丰二年（1852）都曾下过文书，想重修谱，不知为何没有修成，直到又过了一百三十年的民国二十六年（1937），方才重新修撰。与此同时，孔氏宗族的各支派也分别纂修了数量不等的各支派谱牒。

孔府所修家谱，已经刊印的虽有以上多次，可现在能见到的却只有明天启，清康熙、乾隆和民国所修的4种。其中明天启谱，仅存残本，清乾隆谱经过删削，质

量一般，相比之下，康熙谱质量较高，当然，最有特色的还是民国年间所修的。

明天启《孔氏族谱》。天启二年初开修，年底修成，实际撰修人为六十一代孙孔宏颙。修成后的谱共分八卷，共刊印98部，今仅存三卷。

本谱为了防止他人私印，印刷时，宗主、县令均到场，督印14页，每页印98张，印完后即刮版。装订成册后，为防止流出或产生私印之谱，98部谱均在孔庙诗礼堂加盖衍圣公府和本县大印以及相关印信，再行分发。这是为了以后如有事故，各户头、户举应带谱至孔庙勘验，如无印信或印信不对，即系私谱，都要以律究治。

本谱明确规定："义子不能入谱。"同时，从第一代孔子以下至五十五代孔克坚，增加了许多小传，同时，对孔裔各户子孙的繁衍情况，

孔庙位于曲阜市城内。曲阜是我国古代伟大的思想家、政治家、教育家、儒家学派的创始人孔子的故里。孔广殁后一年，鲁哀公将其故宅三间改建为庙。西汉以后，历代帝王不断对孔庙进行扩建，成为一处规模宏大的古建筑群，前后共有九进院落。从大成门起分为三路，全庙共有殿堂阁庑466间，南北长1公里多，总面积约22万平方米，楼房厅堂共463间，九进院落。

《孔子世家谱》

145

记载也较完备。

清康熙《孔子家谱》。孔尚任受衍圣公孔毓圻之请，于康熙二十一年（1682）八月开修，历时年余，于次年底完成，二十三年（1684）二月告庙颁发，共印100部。本谱正式更名为《孔子世家谱》，从此，《孔子世家谱》成为后代孔子家谱的统一名称。

该谱的印刷一如前谱，一页印好后即毁版。其中10部为朱印，其余为墨印。朱印分别颁发给衍圣公、曲阜知县、翰林院世袭五经博士、太常寺世袭博士、尼山书院世职学录、洙泗书院世职学录、四氏学世职学录、族长、林庙举事和奎文阁，墨印为六十户每户一部，七位参与修谱者每人一部，其余捐银一两以上者各一部。颁谱之前举行仪式，然后分别盖上衍圣公印、曲阜县印和家庭图记各一方，以咨鉴别。

全谱分为二十四卷，加卷首一卷、卷末一卷，共二十六卷。卷首为序、凡例与各种说明文字，详述修撰缘起、过程、各类规定、要求、机构、开支、程序等。卷一为姓源，卷二为年表，卷三为世系，卷四为中兴，卷五至二十四分别记载了孔裔二十派六十户的繁衍情况。卷末附有流寓记和跋，流寓记概括记述了孔裔外徙的

孔子讲学碑

十个支派的基本情况。孔裔的二十派六十户虽然在元末明初即已形成，但在谱上却是第一次得到确认。

清乾隆《孔子世家谱》。乾隆九年（1744），七十一代衍圣公孔昭焕依例修谱，参与此事者共24人，第二年修成。全谱二十四卷，刊印120部，告庙颁发。

谱成三十多年后，正值第二次谱禁高潮，谱禁较严，七十二代衍圣公孔宪培在校阅完全谱后发现，由于当时孔昭焕尚年轻，而与事者对此事又重视不够，导致谱中存在不少诸如因高自标赏而未予避讳和触犯有关条规的违碍之处。于是，乾隆四十七年（1782），赶紧发布文书，将原本全数收回，抽掉大部分旧序和跋，删去姓源和年表两卷，核实精减了孔子事迹和后代名人事略，修改了违碍和犯讳字、句。改刊后的《孔子世家谱》为二十二卷，刊印165部，颁发各户各支。然而，虽然当时这个行动要求很严，但并没有全部收回，如今曲阜师范大学尚藏有乾隆十年的初刊本。

民国《孔子世家谱》。倡修于1928年，几经筹备，于1930年10月开馆纂修，至1937年11月方告完成，历时7年，成为合族大谱。参与修谱人员共66人，七十七代孙奉祀官孔德成为总裁，下辖提调、监修、编次、校阅、收掌、文牍、书记、收发、庶务、会计、交际、督刊等部门。全谱共铅印325部，由于当时抗日战争爆发，曲阜不久沦陷，应发之谱大多没有发出去，存于孔府，后大多毁于"文革"中。由于这是一部合族大谱，除传统的二十派、六十户均收入外，对于历代外迁的各支也都尽可能地收入。而这些支派由于人数少，不宜给全谱，于是，就抽印出相关部分，这些抽印的支谱有1813部，这在其他谱中是不多见的。

本谱共分四集，一百零八卷，加卷首一卷，共一百零九卷，九千九百多页，分装

孔子拜师图

名谱之最——《孔子世家谱》

中国的家谱

孔府，又称衍圣公府，位于孔庙的东侧。孔府是孔子嫡系子孙居住的地方，汉元帝封孔子十二代孙孔霸为"关内侯，食邑八百户，赐金二百斤，宅一区"。这是封建帝王赐孔子后裔府第的最早记载。宋至和二年（1055年）封孔子四十六代孙孔宗愿为"衍圣公"，宋徽宗时封为世袭"衍圣公"，孔府也就称"衍圣公府"。

成154册，大约是除皇帝玉牒之外民间最大的谱书了。卷首一册，收录了孔德成和族长孔传埥序文各1篇，旧谱中序文10篇及与事者职务与人名，全谱目录，修谱事宜，凡例，六十户和各支派捐输与支销清单，各户各支领谱数，姓源，宗派总论，圣祖至四十二代图，中兴祖至分二十派图，二十派至分六十户图，嫡裔考，嫡裔图，南宗图，伪孔辨，内院真孔图，外院伪孔图等内容。初集六十二卷，记录分布在曲阜地区的二十派六十户，卷一由孔子至四十二代，有孔子年表及后代追谥；卷二为四十二代至五十六代，各代记录名、字，间有小传；卷三至卷六十二，从大宗户至林西户，共六十户，每户一卷，按代记录每代多少人及名、字、号，无生卒年，有功名者记录较详。二集三十四卷，记载从中兴祖（孔仁玉）之后由曲阜外迁，分布在江西、四川、浙江、河南、江苏、广西、福建、安徽、河北九省的支派及南宗派、江西新建支等三十四个支派，每支派一卷。三集十卷，记载中兴祖之前外迁的平阳、郏县等十个支派，每支派一卷。二集、三集记录的内容与初集大体

相同。四集二卷，记录历代外迁而前谱失叙的分散在全国范围内的七十七支族人，记录较为简略。

　　孔氏因在五代后梁时期发生过"孔末之乱"，因此，远比一般家族更加重视真孔、伪孔之辨。孔末先祖孔景原本不姓孔，南朝刘宋元嘉十九年（442）被

孔子庙碑

定为专门负责孔府林墓洒扫之役的五户之一，蠲免劳役，称为庙户，又称洒扫户，随主家改姓孔。五代后梁乾化三年（913），孔景后裔孔末见孔裔人丁单薄，于是，趁社会动荡之机，"谋冒圣裔"，尽杀居于曲阜的孔子后裔，并将孔子嫡裔四十二代孙、时任泗水主簿的孔光嗣杀死，夺权没产，冒充嫡裔，唯有孔光嗣九个月大的幼子孔仁玉因在外祖家方幸免于难。直到后唐长兴元年（930），方才由明宗下诏诛杀孔末，恢复孔仁玉的地位，孔仁玉也就成中兴祖。孔仁玉之后，孔氏人丁渐繁，慢慢形成二十派，二十派又形成六十户。也就是

《孔子世家谱》

这"孔末之乱"，给孔氏印象太深，因此，孔氏非常重视真孔、伪孔之辨。从现

存几部谱中，都可看到诸如"伪孔考"、"伪孔辨"、"内院真孔图"、"外院伪孔图"等篇章，对于外孔（即伪孔）谋入孔籍之事，防范甚严，以致近代形成这样一个流传甚广的故事，说孔祥熙孔氏后裔纸坊户的身份，是在民国间修谱时，花了2000块大洋买来的。实际上并非如此，他这一支是在五十六代时迁往山西的，而修谱时只捐助经费1000块大洋，并非2000。[1]

修谱时，对于外孔（伪孔）自然是严格甄别、摒弃，如有违犯，经人告发或被查出，一律按违旨逆祖罪处置。对于孔裔子弟，康熙谱中就规定，凡不孝、不悌、违悖祖训、怙侈灭义、为下贱、干名、犯义、入僧道、邪巫、优卒、贱役者和不按规定字辈命名者，均不准入谱。乾隆谱中规定，义子、赘婿、随母改嫁的养子、僧道、干犯名义和从事下贱行业者，均不能入谱。为防假冒，还要求各户头、户举具结作保，并发动族人知情者检举，以杜绝后患。而对于忠臣孝子、义夫节妇、名儒硕彦、嘉言懿行，均大加表彰。

孔府的修谱，也和其他家族一样，十分郑重与认真，对于入谱人员的审定十分严谨，要求十分明确。比如，在正式修谱的筹备期间，衍圣公府和族长都要向各户的户头、户举发出榜文，榜文的内容大致包括几个方面：1. 要求各户将所保管的旧谱送来查验，如果有什么不可抗拒的因素，如火灾等而造成损毁的，则一定要说明清楚。2. 各户在一定期限内将本户自上次修谱之后新增人员情况，按一定的格式，报送到府中。3. 规定什么人不能入谱，什么人的材料应该详细，同时严格告之，不准欺瞒，如有违犯，则按逆祖罪论之，并发动大家

①参见孔令朋《孔裔谈孔》，中国文史出版社，1998年版。

监督、揭发，户头、户举还要具结保
证。4.告之参与修谱的人员名单及其
职掌。

正式开局修谱时，则要举行一系
列的祭拜仪式，宣读誓词，各地支派
都要派代表参加。祭拜仪式一般都在
诗礼堂举行，仪式完毕后即在大堂设
宴招待族人，大堂前扎起彩棚，奏乐
放炮，十分热闹。修谱活动一般在府

孔子学琴　刻铜墨盒

内进行，包括刻版、印刷，如民国年间修谱时，修谱地
点即在大堂、二堂、三堂，三堂院内东西两厢十多间房
腾出来，当作印刷车间，由济南聚文斋印刷所承印，聚
文斋运来了机器、铅字，大约有三十多名工人参与其
事。为了保证修谱工作不受干扰，顺利进行，一般都在
有关场所贴上告示，禁止闲杂人员入内，并设专门人员

孔子讲学图

名谱之最——《孔子世家谱》

151

巡查，发现有违背者，立即锁拿，送府中重处。

整个修谱过程一直处于严格而有序的状态中，每一部分完成后，校对通常在3—4遍，严格把住每道关口。有序除体现在日常工作中，还体现在资料的处理上。如康熙年间修谱时，就对不同户的资料报送、处理在日期上做了具体规定，根据远近，规定了时间。如第一大宗户，为"癸亥年二月二十日投到，二十四日发催，二十六日对讫，八月十五日编讫，十六日发誊，二十日校讫，二十五日发刻，九月初二日刷到，十月初五日磨讫，十一月初二日发补，十二月初五日阅讫，十九日封讫"。最后一户第六十户林西户，为"壬戌年十月初六日投到，二十日发催，二十一日对讫，二十二日编讫，二十三日发誊，二十四日校讫，二十五日发刻，癸亥年八月初二日刷到，九月十五日磨讫，十月十七日发补，十一月十八日阅讫，十二月十九日封讫"。均有条不紊，依次而行。

谱成之后，也要举行一定的仪式，即所谓的"告庙颁发"。仪式也很隆重，要分别在孔庙、诗礼堂、崇圣祠、报本堂等处举行。然后是

孔庙内的孔子像

大堂设筵，酬谢参与修撰人员，所有参与修撰人员，包括印刷工匠，都有犒赏。谱成后的印刷颜色也不完全一样，如康熙谱有10部是朱印，其余为墨印，乾隆谱也有4部朱印。朱印本由特殊人物如衍圣公等珍藏，墨印谱则分发给众人。分发之前，通常要盖上印章，康熙谱是

3枚，民国谱是2枚，以防私印。受谱者除衍圣公、族长、县令之外，重要的参与修谱者都能领到，其余每户一套，之外就是捐款超过一定数量的可颁一套，捐款数量并不固定，如康熙谱是捐银超过一两，民国谱是捐款60大洋以上。此外，民国谱还根据捐款数的不同，抽印本支那一部分内容，这倒是个创造。所有领谱人员都被记录在案。

孔府修谱的经费也和其他家族一样，是由合族普捐和个人主动捐助而成。如康熙谱，60户共普捐白银878两9钱6分，另有衍圣公孔毓圻及孔尚任等20人各捐1—10两不等，共42两，合计920两9钱6分；民国谱共收普捐60户为3682元6角，其余各支派4824元1角，另有孔祥熙捐大洋1000，滕县滕阳户，曾当过山西军阀的军长、山东省厅长的孔繁蔚捐洋500元，合计10006元7角。由于修谱是敬宗睦族之事，因而，为了坦然相对祖宗神灵，谱成之后都有收支明细表，以表明无私。当然，孔门之中也绝非个个圣贤，据孔府档案记载，也有个别借修谱私吞谱费或借修谱敛钱之事，查实后都受到了责罚。

在孔氏宗族中，除了曲阜一系由大宗主历代衍圣公主持纂修合族之谱外，各户、各支派也都有各自纂修小谱或支谱之举，收录范围与著录内容各不相同，有些也有相当价值。由于这些支谱、小谱印数较少，保存不易，如今孔府大约保存仅358种，以清代居多，共287种，民国次之，68种，明代3种。另外，上海图书馆所藏可以大致判定为孔氏支派的约有18种。

进入20世纪90年代，由于距上次修谱已近六十年，于是，有关方面和孔裔族人都有续修之议，也进行过一

系列活动，如征得孔德成先生同意，由他担任名誉总裁等，但均未进入实质性操作阶段。孔氏如新修家谱，影响必然巨大，对发扬中华民族优秀文化传统，作用不可低估。但如真要新修，需要认真对待的事情还是很多的，比如观念更新、体例合乎时代要求等，尤其是真孔、伪孔之辩，到底严格掌握到什么程度，这都需要仔细斟酌，认真研究。要不然，所产生的负面影响也不容忽视。

少数民族家谱

我国是一个多民族的国家。远在上古的传说时代，各民族的祖先就劳动、居息、繁衍在这块广袤的土地之上。居住在黄河中游平原的是汉民族的祖先"华夏"族，居住在四周的则是各个不同族类的少数民族。中华民族五千年的文明史，就是各族人民相互往来、交流、融合、同化，共同促进社会发展，创造繁荣文化的历史。

经过历史的选择，如今，我国共有56个民族，汉族人口约占全国人口的91.96％，其余55个少数民族人口只有全国人口的8.04％左右。在这55个少数民族之中，除壮族、回族、畲族和大部分满族使用汉语之外，其余的民族共使用着超过60种以上的民族语言。由于各民族间经济、文化发展的不平衡，一些民族拥有自己本民族的文字，另外一些民族则使用着其他民族的文字，或尚处于口传及刻木、结绳的记事阶段。据有关方面1949年的统计，我国55个少数民族中有21个民族使用文字，其中18个民族使用的是自己本民族的文字，有的还同时使用着几种文字，其余如畲、壮、回和大部分满族则使用汉文。新中国建立后，中央政府和各有关民族地区都建立了专门的少数民族语文研究机构，先后为十多个民族进行了民族文字改革和文字设计拉丁化工作，使拥有本民族文字的民族有

少数民族家谱

张道陵（34—156），原名张陵，字辅汉，沛国丰（今江苏丰县）人。东汉末五斗米道创始人。曾任江州令，后弃儒习道，创"正一盟威之道"派，又称五斗米道，后世尊其为掌教和正一天师。像载《锡山张氏家谱》，清同治十一年（1872）孝思堂木活字本。

所增加。

　　我国的少数民族与汉族一样，都有着敬天畏神、敬祖睦宗的传统。因而，在长期的历史发展过程中，也相应形成了相当数量的家谱文献。与汉族家谱均为单一使用汉语记录的文字家谱相异的是，各少数民族由于社会发展状况的不一致，他们所形成和保存至今的家谱形态是多种多样的，归纳一下，大致可分为无文字记录的口传家谱、实物家谱和使用文字记录的文字家谱三类，每一类之中，又可加以区别。实物家谱可细分成刻木谱、结绳家谱和其他实物家谱等多种，文字家谱也可区分为使用本民族文字记载、使用其他民族文字记载、使用汉文记载和使用两种文字对照记载等多种，并且每一种家谱内容的繁简程度也不一样。同时，由于各少数民族的规模、人数及在中华民族发展过程中所发挥作用的不一样，因此，形成的家谱数量及流传与保存的程度也不一样。在中国当今55个少数民族中，到底有多少民族拥有自己本民族的家谱资料？流传至今的各少数民族家谱资料到底有多少？尚无人做出相应的统计，也缺乏有关的文献说明，作者只能根据自己所掌握的有限和不完全的资料，略加归纳，做些简单的说明与介绍。

　　在现存的各少数民族家谱中，以满族的数量最多。满族作为中国最后一个封建王朝的主流民族，享有很多特权，同时也有足以夸耀的祖先和家世值得记录。因此，满族人修家谱的现象无论在清朝还是民国，都是比较普遍的。从现存家谱来看，满族人使用文字修谱，大约是从入关之后，即清王朝建立之后开始的，在此之前，只有在太祖实录中，保留着用满、蒙、汉三种文字记载的简单的皇室世系。此外，从如今尚保留的一些满族风俗来看，满族似乎存在着类似结绳的实物家谱。有些学者认为，在现今东北一些满族居住地，满族人家中西墙所供祖宗板右边佛托妈妈位置上索子口袋中的索绳，即是这种原始的结绳家谱。佛托妈妈，也称锁头妈妈、托托妈妈、子孙妈妈，汉译为恩情的妈妈，在满族传说中是一位为救清太祖努尔哈赤而被杀的汉族妇女，努尔哈赤即位后，被尊为"佛托妈妈"，成为满族供奉的保佑子孙繁衍、人口平安的神。佛托妈妈有位无像，只有一个口袋，名为索子口袋，内装一根数丈长，由五色线编成的索绳。家中孩子长到四五岁时，在冬月底大祭佛托妈妈的第二天举行挂锁仪式，男孩颈上套红彩线，女孩套蓝彩线，三天后取下，装入索子口袋，再逢祭日，则将孩子原先套过的彩线，系在索绳上。女儿长大出嫁后，婆家备好酒礼，送媳妇回娘家祭过佛托妈妈，然后将自己套过的蓝彩线解下带回，系在婆家的索绳上，这叫改锁。家中索绳上彩线多，自然说明这家人丁兴旺。

　　在现存的满族文字家谱中，有纯使用满文的，有满、汉两种文字对照的，也有仅使用汉文的。从形成时间上来看，清朝乾隆之前以纯满文居多，清中期以后开始出现满、汉文对照，道光以后，汉文逐渐取代满文，成为满族文字家谱中主要的书写文字。内容方面，有简单的谱系图表，有记事详尽的正规谱书，也有官方保管的族人家谱资料。文字家谱的流传形式有木刻本、活字本和近代排印本，更多的是稿本和抄本。现今存世的满族家谱，至今还没有人进行过全面的调查与统计，更不用说系统收藏，即使是中国国家图书馆也仅藏有汉文八

黄盖（三国吴），字公覆，零陵泉陵（今湖南零陵）人。三国吴将领。从孙坚起兵，拜别部司马，擢武锋中郎将加偏将军，赤壁之战献火攻计。追赠关内侯。像载《梁溪黄氏续修宗谱》，1931年居正堂木活字本。

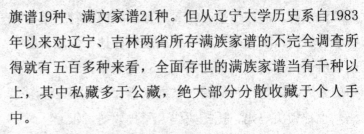

旗谱19种、满文家谱21种。但从辽宁大学历史系自1983年以来对辽宁、吉林两省所存满族家谱的不完全调查所得就有五百多种来看，全面存世的满族家谱当有千种以上，其中私藏多于公藏，绝大部分分散收藏于个人手中。

满族的文字家谱通常被认为是入关之后方才开始编修的，修谱之所以成为一种大规模的普遍行为，是由满族内部实行的八旗制度决定的。在八旗制度中，家谱是官职承袭和人丁身份、地位的主要证明和重要凭证。努尔哈赤之前，居住在东北地区的满族是由无数个"穆昆"（即氏族）组成，彼此间互相攻伐不已。努尔哈赤崛起后，以穆昆为基础，将普通穆昆改变成为带有军事性质的社会基层组织"牛录"，牛录的佐领（首领）通常是由穆昆达（族长）担任，佐领分为勋旧佐领、世管佐领和公中佐领三种，其中勋旧佐领和世管佐领可以世袭，此外，八旗中还有一些由有功人员担任的官职也是可以世袭的。这类家族世袭官职，早期是由各家族收藏的皇帝颁发的敕书来证明，后来，这种可世袭的荣誉被记入家谱，凭证也就由家谱来承担。从如今大量保存的诸如"雍正朝八旗佐领袭职缘由宗谱"和其他有关申请袭职的奏折中都可清楚看到，这类文件在叙述完申请袭职缘由之后，都会附有申请袭职者的家族世系来证明其所申请之不谬。这种附在申请袭职奏折之后的家族世系，实际上就成了满族文字家谱的一种早期形式。同时，在八旗制度中各类成员的身份和地位是基本固定的，不能随意变更，这种固定关系也是通过家谱来维系的。家谱，在某种程度上又

华宗辂（1341—1397），字公恺，自号贞固处士，无锡（今属江苏）人。学者。嗜书博学，入明不仕。《华氏西房支谱》，清道光六年（1826）木活字本。

成了表明旗内人丁身份的依据。此外，从世祖顺治十八年（1661）开始，皇室连续不断地编修自己的家谱——玉牒，加上世宗雍正十三年（1735）敕修，历时十余年，于高宗乾隆九年（1744）方告修成的《八旗满洲氏族通谱》，都对满族人修谱产生了积极影响，尤其是《通谱》所起的示喻作用，更是不可低估。《八旗满洲氏族通谱》，80卷，共收录除爱新觉罗家族之外的八旗满族姓氏654个，蒙古姓氏、汉姓、高丽姓521个，合计1176个，记录八旗人物超过两万人。可以说，这部《通谱》，既是八旗满洲重要的氏族宗谱集成，又是八旗满洲的姓氏总集。清帝敕修此《通谱》的目的，是为了提醒八旗满族人增强民族意识，以提高民族凝聚力，进而达到巩固封建统治的目的。同时，《通谱》的修成，也为后来满族人修谱提供了重要依据和线索。

　　在以上几个因素影响下，再加上清朝建立后，大批满族人入关，生活在中华民族的大家庭中，汉族和其他民族重视修家谱的文化传统对满族人也是个促进，乾隆之后，满族人修谱蓬勃开展，由过去只是个别家族的个别行为发展成为全民族的普遍行为。在相当时间里，满族人对纂修家谱的重视，几乎超过汉族，达到一族一谱的地步。清朝灭亡，八旗制度解体后，满族人并未终止修谱，其宗旨是为了表示不忘本，教育族人强化自己是中国人的意识和重振本民族的辉煌。1931—1945年日本

《八旗满洲氏族通谱》

少数民族家谱

161

朱梁（东汉建宁间），原名肇，避和帝讳更名，下邳（今江苏邳县）人。东汉官吏。官冀州守，进御史中丞，拜殿中尚书，建宁三年（170）忤旨谪守苏州，遂为吴郡朱氏始祖。像载《古吴朱氏宗谱》，清嘉庆四年（1799）敦伦堂刻本。

占领东北期间，东北满族再兴修谱高潮，也正是这种心态的体现。现在我们见到的东北地区满族家谱，有相当部分是这个时期篡修的。

满族修谱，多在龙年、虎年、鼠年进行，取龙腾虎跃、人丁兴旺的吉祥寓意。时间一般在农历二月。如果是初次修

孙氏家谱碑

谱，资料来源主要为历代相沿的传闻和从八旗都统衙门所存档案中抄录有关资料。如果是续修，则以旧谱为基础，再以历代穆昆达历年举行祭祀时记录的本族新生、娶进、身故人丁清单为根据，依次续上，死者的名字涂成黑色，新生者用红砂填上，女孩因要出嫁，是外姓人，一般不上谱，媳妇的名字附在丈夫旁，写明姓氏和旗分。在现存的满族家谱中，由于修谱时代和家族历史的不一样以及汉化程度的不一样，修成家谱的内容结构与详略程度也不完全一样，但叙述族源、迁徙、修谱缘起与修谱过程的谱序、凡例和记录家族世系的世系表是一定有的，其他诸如上谕、诰命、姓源、传记、仕宦、诗文、移驻考、族居记、行辈用字、家训、族规、恩荣、谱图、祠宇、墓图、碑记、大事记、照片等，则不是每一部满族家

谱都全具有的。

在满族文字家谱中，还有一种特殊的形式叫谱单，实际上是谱书的简体，仅有家族世系和极简单的文字说明，注明家族迁移来源、字辈顺序和修谱、抄谱时间，通常是写在大张高丽纸和黄绸上，也有用数张高丽纸拼接而成，成卷轴装或经折装，中间一般都绘有祖先画像，已故人名用黑笔书写，尚存的人用红笔书写，文字有满文、汉文、满汉合璧或满文、汉文各一份对照等数种，很多谱单从顶端沿两边直至底部都绘有彩图。谱单平时被郑重收藏，每到祭日，则从祖宗匣中请出，敬陈于屋内西墙板上，全家跪拜祭祀，以示不忘祖宗恩德，并祈求祖宗庇佑。在现存满族家谱中，谱单多于谱书。

与满族同居于东北地区且风俗、信仰和习惯大体相近的锡伯族，虽拥有自己的民族文字，可未见到有用本民族文字书写家谱的记载与报道，只见到有关实物家谱的记载。与满族相似，锡伯族人在屋内西墙上供有保佑家宅平安和人丁兴旺的女神喜利妈妈，也叫子孙妈妈，没有神像，也是一纸袋，内装一根长约二丈的丝绳，上面系有小弓箭、小靴鞋、箭袋、摇篮、铜钱、布条、背式骨（猪后腿的距骨，俗称嘎拉哈）等物品，用来记载家中的辈数、人数、男女数和其他大事。添一辈人就添系一个背式骨，生男孩挂一张弓，生女孩挂一根红布条，从丝绳上可以清楚地看出这家一共经历了多少代，各代各有多少男女成员。这种丝绳实际上就是锡伯人的

女真族世系表

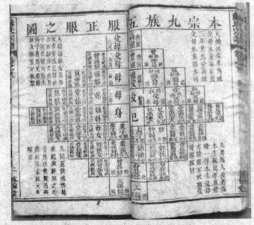

《苏氏家谱》

实物家谱，平时收在袋子里，拿出祭祀多半在半夜时分，不准外人看，十分郑重。

鄂伦春人在使用满文记事之前，一直使用结绳记事，其中也包括使用结绳来记录自己的世代，形成结绳家谱。据有关材料记载，鄂伦春人的结绳家谱多用马鬃绳，一代一个结，平时悬挂在房梁正中，十分珍视。

蒙古族是个豪放的民族，也是在中国历史上创造了辉煌业绩的民族。蒙古民族十分崇尚英雄，未有文字之前，在广阔的草原上就流传和吟唱着各种英雄的事迹和传说，其中自然包括了英雄的家世，这些流传四方的英雄事迹实际上就是后世英雄史诗的前身。在这些史诗被记录之前，史诗中的英雄家世实际上就是一种口传家谱。此外，在蒙古民族早期，其社会组织单位是氏族。氏族是以血缘关系维系，供奉一个共同祖先，因此，即使在没有文字之前，对祖先的世系传承，也必须切记，这就形成了民族的口传历史。蒙古文字创立后，一部分口传历史和英雄家世被记录下来，形成了文字家谱。蒙古早期文字家谱并不是独立成书的，而是记录在其他著作之中。如13世纪中叶形成的《蒙古秘史》和14世纪初形成的拉斯特《史集》中，都记载有成吉思汗祖先、成吉思汗及其继承者的家族世系，多达二十多代。此外，元朝建立后，沿袭金制，设置大宗正府，专司修撰皇室家谱，但由于"元之宗系，藏之金匮石室者甚秘，外廷莫能知也"，随着元朝的灭亡，皇室家谱也就湮没不传了。元代蒙古人的家谱、世系资料，在《元史》和《新元史》的本纪、传记、后妃表、宗室世系表、诸王表、公主表、世族表等文字中，还是可以看出一些的。到了清朝，蒙古族仍是主流民族，在敕修的《八旗满洲氏族通谱》中，也有相当的八旗蒙古姓氏和家谱。在其他一些官方文书，如《蒙古王公表传》中，对于蒙古各旗贵族的世系和功绩，也有可靠的记载。另外，蒙古各旗本身，也因职务和爵位的继承关系，必须将自己的各家世系记录得清清楚楚，三年整理一次，向中央具体管理机构——理藩院报送存档。除此之外，清代译著的一些蒙古史著作，如《蒙古源流》、《金轮千辐》、《恒河脉流》、《蒙古世系谱》等，都有数量不等的蒙古人家族世系资料。

清代以来，蒙古族人编修的蒙文和汉文家谱当不在少数，可惜尚未见到这方面的统计与研究文献。但从20世纪20年代至60年代，蒙古民族屡经动乱看，家谱文献遭到严重破坏和损失是能够想象的，保留下来的，绝大部分收藏于民间个人手中，在中国国家图书馆的丰富收藏中，也只见到5部蒙文家谱。所幸的是，1979年，国内出版了《蒙古世系》一书，以表解方式，将蒙古贵族的世系记录下来，并对其中某些人物做了一些考证，稍微弥补了一些这方面的缺憾。但美中不足的是，蒙文资料使用过少，降低了本书的价值。

其他拥有自己本民族文字的各少数民族，从理论上讲，也应该拥有自己的民族文字家谱和汉文家谱，可惜的是，有关这方面的记载并不多，大型图书馆的收藏也不尽如人意，如中国国家图书馆所藏的少数民族文字的家谱，除前文所述的满、蒙文字之外，也只有藏文4种、彝文2种。除此之外，在一些民族文献中，还可看

到有关类似的家谱，如古籍《西南彝志》中就记录下较多数量的古代彝族口传家谱。专门的民族文字家谱，大概在各少数民族地区的档案馆、博物馆、图书馆和私人手中都还会有收藏，很值得我们去调查、征集、整理、研究。

在漫长的中国古代文明史上，还有一些曾经在中国历史舞台上演出过轰轰烈烈的正剧，而如今已经消亡的民族，如建立辽朝的契丹族，建立西夏政权的党项族，他们都有自己的文字，产生过大量的文献，自然也会包括皇室公卿贵族和士民家谱。随着时代的流逝，这些民族已经不存在了，他们的各种文献也已大部消亡，但可以肯定，民间也还会有一些流传下来，前些年于西安面世的10册据说是西夏皇族的家谱就是一个明证，这些已经湮没的历史文献，也很值得我们去发掘。

在一些使用汉字的民族中，随着汉化程度的加深，对汉族家谱中有关儒家文化、伦理道德的内容和明昭穆、序尊卑的修谱理念的认同感的增强，在他们所编修的家谱中可以明显看出汉族家谱的影响和痕迹，这其

众神议会图

中，尤以满族、回族家谱最具代表性。在很多家谱中，汉族家谱中所具有的内容与结构已完全具备，如果不看族源，与汉族家谱已没有什么区别了。至于一些汉化程度和文明程度相对较低的民族，如畲族，也有自己的家谱。由于畲族早期的家谱有一些是请汉族知识分子帮助撰写的，因此，起点较高，体例谨遵汉族家谱也是很自然的了。有些内容，如凡例，规定、族规之类，已完全可与汉族家谱媲美。同时，汉族家谱中的许多毛病如攀附名人、乱认祖先，在这些少数民族家谱中也有不同程度的体现。如金氏，始祖上溯到汉代金日磾、畲族蓝氏，有些家族竟上溯到八仙之一的蓝采和。与汉族家谱作伪内容不同的是，在一些使用汉姓的少数民族家谱中，竟尽量淡化本民族的特色，如在很多少数民族家谱的世系表中，他们祖先的本来名字基本看不到，而代之以汉名，再有的就是以汉族中的名臣名将作为先祖，如畲族钟氏，上溯到上古时微子，以后历代均有名人，并自标堂号"颍川堂"，俨然汉族世家大族；其他如雷氏、蓝氏也是如此。与福建汉族家谱中大多将祖先入闽

的时间附会成随五代时闽王王审知入闽一样，他们也都自称自己的祖先是随王审知一同入闽，并充当乡导官等等。在这些方面，表现出了少数民族与汉族在家族荣誉方面的共同需求，只不过由于历史与文化渊源方面的不同而表现方式不同罢了。

我国南方一些没有本民族文字的少数民族，祖先家族世系大多以口述方式流传在族人之中，形成口传家谱。建国之后，许多民族工作者在进行民族调查时，都曾接触过这类口传家谱。在这些口传家谱中，有一部分父子连名家谱比较特殊。所谓父子连名家谱，即某些民族起名较有特点，父亲名字之后一两个字是儿子名字的前一两个字。这种父子连名的家族世系，比较易于背诵。因此，在怒族、哈尼族、白族、大凉山彝族和黔东南苗族等少数民族中，一般的家族成员都能背出三四十代祖先世系，特殊人士如专职巫师或族中老人，则能背出多达六七十代的祖先世系，最多的能背到九十多代。在其他一些不是父子连名的民族，如傈僳族、普米族、阿昌族、高山族等，家族世系则一般由专门的神职人员如巫师和头人掌握，定时向族人宣诵，通常一般都能背诵出几十代祖先世系，十分难得。

LIU CHUAN YU SHOU CANG

流传与收藏

唐朝以前的家谱，由于政治作用较强，因而，修成之后大多要缴送一份由政府收藏，这从殷墟出土的商代甲骨文中的家谱资料就可看出。秦汉两代，皇室家谱均由专门机构——宗正管理，民间修谱也应呈送政府有关机构。魏晋南北朝是我国最重谱牒的时代，无论是选官，还是婚姻，首先要查验的就是谱牒，政府设置了专门机构"谱局"，编修和管理各种谱牒。民间自修，同样要上呈官府，收藏在尚书省的户曹，或专门的"籍库"、"谱库"中，作为日后选官的依据。南北朝以后的公私目录中，一般也都设有专类，著录各种家谱文献。到了唐代，政府集中管理和编修谱牒，仍然是家谱收藏的一种主要方式。

　　政府集中收藏和保存谱牒，既便于管理和使用，也便于保存，使得谱牒的修撰趋于标准、统一。然而，政府藏书如遇到兵燹、战争，照样难逃厄运，西汉末年的绿林、赤眉起义，东汉末年的黄巾起义和董卓之乱，西晋的八王之乱，北魏的尔朱荣河阴之变，萧梁的侯景之乱，隋末农民起义，唐代安史之乱和唐末农民起义，都曾将政府的藏书和档案（包括政府所藏的各类谱牒）付之一炬。不同的是，唐代以前的历次战乱过后，由于谱牒在政治中的地位和作用，政府可以通过各种方式，使之很快得到恢复。而唐朝末年黄巢起义过后，晚唐苟延

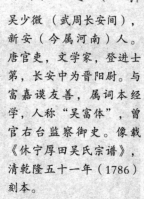

吴少微（武周长安间），新安（今属河南）人。唐官吏，文学家，登进士第，长安中为晋阳尉。与富嘉谟友善，属词本经学，人称"吴富体"，曾官右台监察御史。像载《休宁厚田吴氏宗谱》，清乾隆五十一年（1786）刻本。

171

残喘一段时间，五代十国纷起并立，乱世之中，家世谱牒已没有意义，选官、联姻全靠实力作后盾，政府再进行管理和修撰谱牒既已没有任何意义，其收藏的谱牒也就没有必要恢复了。这也是唐代以前的谱牒现已基本失传的原因之一。

唐朝还有一种情况，即由僧侣掌管州县乡里的谱牒。如敦煌遗书中就保留了很多这方面的实物资料，很多残牒上都注有"释惠云等牒"、"释耆惠云绍宗等牒"字样。江南某些地区，一直到近代仍存在这种现象：各家族在续修家谱时，必先到有关寺庙查考先人世系和族人生卒日期；周围居民添丁进口，也要去有关寺庙报知生辰八字和姓名；若有死者，寺僧自动来发给牒文，略述死者生卒年月日时和简单事迹，然后再行殡殓，牒文底稿则抄在寺庙中的"尊主簿"永久保存；若有外地人死于当地，则仅将死者姓名与死亡时间记录于寺庙中的"录鬼簿"中。美中不足的是，寺庙藏谱从不刊刻流传，因而，一旦遇到不测，则荡然无存。如长兴县吉祥寺曾藏有唐至清的有关家谱，十分完整，可在抗日战争时因火灾烧得片纸不留。经过近百年的战火与动乱，现在已很难有哪个寺庙还能保存较完整的家谱资料了。

宋代以后，选官不再看家世，婚姻也很少讲究门阀，因而，政府已无兴趣，也无必要继续收藏和编修各类家谱了。从此之后，政府除了设置专门机构编修皇帝家谱即玉牒之外，其余所有各类家谱，均由民间自行编修，自己保存与收藏。修成的家谱一般保存在祠堂和私人手

《马氏家谱》

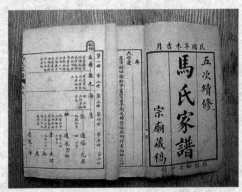

中。也有的家族分支修成支谱后，要交送一部给本家族的总部保存，如山东曲阜孔府之中，就收藏有全国各地孔姓人所修的家谱三百多部。

明代以后，家谱被认为寄托有祖宗的灵魂，因而，严格禁止外传。其实，这不过是一种托词，其真实的理由可能是担心流传出去后，会给别有用心的人造成"冒宗"的机会，或者是因为修撰时的牵强附会、自吹自擂，给外人提供谈笑之资。总而言之，家谱绝对不准外传，子孙世袭珍藏，奉为传家之宝，至亲好友也不能得见。因而，除非子孙不肖或者其他极为特殊的原因，家谱很少会流落到外面。擅自借给外人、私自涂改、私自抄录或私自出卖的，都会被视为大逆不道，要受很严厉的惩罚。为了保证这个措施得到贯彻执行，很多家族采取了编号发放的办法，即家谱修成之后，抄写或印成一定数目，编上号码，登记后分发族人珍藏。也有的如孔府那样，在正式谱书上加盖好几个印章，以防止偷印，并约定每隔一段时间或新修家谱时，须将各自保存的家谱带到祠堂查验，无误者发回。如有违犯者，轻则追回家谱，重则还要清除出族，永远不准入祠和入谱。在封建社会中，这是很严重的惩罚。一个人如果被清除出族，那将生不能入祠入谱，死不能埋葬在祖茔，犹如孤鬼，会无所依托，这对一个人精神上的打击是极为沉重的。

名祖——老子像

老子（传说前600左右—前470左右），姓李名耳，字伯阳，汉族，楚国苦县（今河南周口鹿邑县）人，是我国古代伟大的哲学家、思想家，道家学派创始人，世界文化名人。

颜氏家庙碑

由于这些原因，家谱的收集极不容易。明清时代藏书家很多，但基本没有能以收藏家谱为其藏书特色的。这种情况直到民国年间方才有所改变，一些有识之士鉴于私人收藏不如公家收藏更能长久保存，以及为了促进修谱水平的提高，便将一些新修成的家谱刻印后分送有关图书馆和研究机构，国内一些图书馆开始注意收集各类家谱。国外一些机构也非常注意收集各种中国资料，其中自然包括家谱，尤以日本、美国最为积极，日本在侵华战争中掠夺了一大批中国文献，美国则利用在中国开办的学校和文化团体四处收买。除了我国所藏之外，美国、日本所藏的中国家谱都在数千种以上。

据不完全统计，流传至今的古代家谱，最早的即是甲骨片"库1506"等三片，商周有一些带有原始家谱性质的青铜彝器，汉代也只留下些带有家谱性质的石刻碑文，敦煌遗书中还保留一些唐代家谱的残页。其余绝大部分是纸质的印刷或手写家谱，也有一小部分是后人拍摄的缩微胶卷，在少数民族地区还有一些其他质地的家谱文献，本处就不再赘述。

对于中国当代家谱的收藏状况，目前尚无权威资料介绍，不过如果我们综合一下当今人们的研究成果，还是可以推导出大致情况的。中国当代的家谱收藏，大致分为公藏和私藏两部分，公藏占有主导部分，私藏也不容小视，尤其是新修家谱的收藏，私藏肯定超过公藏。公藏之中自然以各级、各类型图书馆为大宗，尤其是省级公共图书馆是收藏的主要力量，此外，在各地的文化馆、文管会、博物馆、纪念馆、档案馆、档案室、文物商店、修志会、公安局，以及临时机构清退办中，也都有多少不等的收藏。

在图书馆之中，上海图书馆的收藏遥遥领先于其他图书馆，共收藏1949年前家谱原件一万一千七百余种，近十万册，地域覆盖20个省区，以浙江、安徽居多，姓氏涉及328个，约有二百余种明代刊本，其中不乏名谱和近、现代名人家谱。其次是中国国家图书馆，收藏三千多种，其中宋、金与元代之前的蒙古时期各1种，元代2种，明代325种，清代1528种，其余为民国和当代所修。另一个收藏三千多种以上的单位是山西社会科学院家谱资料研究中心，但是以缩微胶卷为主。收藏在千种以上和左右的大约有湖南省图书馆、南京图书馆、中国社会科学院历史研究所图书馆等，收藏百种以上的有安徽省图书馆、天一阁藏书楼、吉林大学图书馆、河北大学图书馆、中国人民大学图书馆、福建省图书馆、南开大学图书馆、中央民族大学图书馆、福建师范大学图书馆、黄山市博物馆等，百种以内的如天津图书馆等，更是不可数计。有关国内各收藏单位的具体收藏数目，只有等目前正在编辑中的《中国家谱总目》编成后，方才能有一个较准确和较权威的记录。

台湾地区原来收藏的家谱数量较少，但近几十年来，台湾掀起了新修家谱的热潮，据1987年出版的《台

仲雍（商后期），姬姓，周太王次子。泰伯弟。知太王欲传位幼子季历，遂与兄太伯奔荆蛮，归之者千余家，立太伯为君。太伯卒，仲雍继之而立。后人以为吴始祖。像载《锡山周氏世谱》，清乾隆五十七年（1792）木活字本。

湾区族谱目录》记载，共有十万六千多种，绝大部分为近年新作，质量参差不齐。以前台湾收藏家谱最多的是《联合报》文化基金会下辖的国学文献馆，该馆成立于1981年，宗旨是致力于收集流传在海外的中国珍贵书籍，供学术界和社会各界阅读、利用，家谱是主要收集对象之一。他们除向美国犹他家谱学会复制缩微胶卷之外，还从日本、英国以及香港等地购置了很多家谱，有关中国家谱资料的收藏约有六千余种。1996年3月，《联合报》国学文献馆将馆藏家谱全部捐献给台北故宫博物院图书文献馆，加上原先馆藏，如今是台北故宫博物院图书文献馆收藏最多，达一万余种，其中包括部分韩国和琉球家谱。台湾地区中国家谱收藏达到一定规模的还有"台湾中央图书馆"，有二百余种；"台湾中央研究院民族学研究所图书馆"，收藏各类家谱缩微胶卷和原件约数千种；"台湾中央研究院历史研究所"亦收藏有相当数量的家谱胶卷；台湾省文献会、台北市文献会、台湾省各姓渊源研究学会，私人的如万万斋藏书楼等，也都有不同数量的家谱收藏。此外，台北的中国文化大学和摩门教家谱中心也收藏有部分家谱的缩微胶卷，对外供人查阅。

谢迁（1449—1531），字于乔，号木斋，余姚（今属浙江）人。明大臣。成化十一年（1475）进士，官至户部尚书兼文渊阁大学士，谥文恪。工诗文。画像明人绘，藏南京博物馆。

香港地区则以香港大学图书馆最多，共收藏历代家谱原件和家谱缩微胶卷七百余种，其他公私收藏均不太多。

日本在第二次世界大战前就十分注意收集有关中国的文献资料，家谱是其注意的目标之一。据日本学者多贺秋五郎所著《宗族之研究》和其他目录著录，日本藏中国家谱以东洋文库为最多，共八百多种，还有大量的家谱胶卷；其次为国会图书馆，四百多种；东京大学东洋文化研究所和东洋学文献中心共收藏中国各类家谱四百余种。此外还有一些单位仅藏数部、数十部，总计约一千五百多部。

美国收藏的中国家谱也达到相当数量，据了解，哥伦比亚大学东亚图书馆收藏中国家谱有两千多种，哈佛燕京图书馆收藏两百多种，美国国会图书馆收藏五百多种，此外加州大学、芝加哥大学也分别藏有数十种或百余种不等。在美国，收藏中国家谱最为著名的机构是犹他家谱学会（GSU）。犹他家谱学会总部设在犹他州盐湖城东北庙街，1894年由耶稣基督后期圣徒教会创立，是一个民间的非营利性组织，旨在为家谱学的研究收集、组织和保存有价值的历史记录。起初，他们仅收集手稿和书籍，

木雕祖宗像

自1936年后，开始以缩微技术复制各国、各民族的家谱，中国的家谱当然也在收集之列。1974年起在台湾地区收集台湾的家谱资料达三千多种。犹他家谱学会图书馆共收藏有关中国资料达一万余卷，另外缩微复制了保存在美国、台湾、日本、香港以及私人收藏的中国资料十万余册，其中有关中国的家谱就有一万七千多种，范围包括中国各省市，其中以江苏浙江、安徽、广东数省居多，篇幅大小不一，少的不足20页，最大的是1937年出版的孔德成主编的《孔子世家谱》，四集154册。所藏家谱全部拍成缩微胶卷，一套置于距学会所在地20公

里处的花岗石山地下资料库中永久保存，一套置于图书馆供公众使用。使用该会图书、设备均不收费，同时，犹他家谱学会还同四十多个国家和地区的一千多个图书馆建立了资料交换关系。

记录与整理

家谱数量发展到一定规模之后，为了便于时人和后人的了解、掌握与使用，家谱的收藏者就需要对所收家谱进行加工、整理，将家谱的各种外在特征和内容特点记录下来，编成目录，以便利流通和供自己与他人使用。

　　在中国封建时代，家谱的记录和整理并没有形成独立的家谱目录，而仅仅是作为历史图书的一类，在历代各种综合性目录的历史类和专门的史部目录中得到著录和体现。所不同的是，由于不同时代家谱本身数量的多寡、家谱在当时学术界和社会上地位的高下以及目录编制者对家谱重要性的认识不同，家谱在各个时代、各类目录中所处的位置也不完全一致，有的能单独列类，有的则附于别的类目之后。

　　在现存最早的以我国第一部综合性目录《七略》为基础编成的史志目录《汉书·艺文志》中，历史类图书由于数量较少，尚不能单独列类，只能附于收录儒家经典著作的"六艺略"中的"春秋家"之下，"春秋家"中谱牒也仅收录了"《世本》十五篇"这一种，另外在"数术略"中"历谱家"下，又载有《帝王诸侯世谱》二十卷、《古来帝王年谱》五卷。魏晋南北朝时期，谱学大兴，日渐成为显学，与此相适应的是，目录的分类也发生了相应变化，随着史书大增和史学地位的提高，将史书单独列为一大部类的四部分类法开始出现。遗憾

叶盛（1420—1474），字与中，昆山（今江苏昆山）人。明官吏。正统十年（1445）进士，官至吏部左侍郎，谥文庄。像载《吴中叶氏族谱》，清雍正间刻本。

的是，这段时期编制的十几部四部分类的国家目录均已亡佚，无从知道在史部大类之下有无谱牒专类的设置。已知古代目录中第一个设置谱牒专类，并将所有家谱类文献集中在一起的，是南朝萧梁时阮孝绪所编的《七录》，《七录》中"纪传录"下第11个小类"谱状部"，收录家谱著作42种，一千余卷。自此之后，各类综合性目录中一般都有谱牒专类设置，这一点，在存在于历代正史和国史之内的经籍志、艺文志等史志目录中表现得尤为明显。

唐初编制的我国第二部史志目录《隋书·经籍志》的史部之下，设有"谱系"类，收录谱书41部，360卷，但最后三部"《竹谱》一卷、《钱谱》一卷、《钱图》一卷"不属谱牒类图书，实际为38部，357卷，加上此时书虽亡佚而谱名尚存的共为50部，1277卷。在其他四部拥有经籍志和艺文志的正史中，《旧唐书·经籍志》的"谱牒"类收录55部，1691卷；《新唐书·艺文志》"谱牒"类收录17家，39部，1617卷，根据本志注释，尚有22家，333卷未著录；《宋史·艺文志》"谱牒"类著录110部，437卷；《明史·艺文志》"谱牒"类收录38部，504卷。此外，在宋明两代的官私目录中，如宋人王尧臣《崇文总目》、尤袤《遂初堂书目》、郑樵《通志·艺文略》与《通志·图谱略》，明代焦竑《国史经籍志》、朱睦㮮《万卷堂书目》、高儒《百川书志》、祁承㸁《澹生堂书目》、陈第《世善堂书目》等，也都在史部之下设有"氏族"、"姓氏"、"谱系"、"世系"、"谱传"、"姓谱"等专类。《通志·艺

《竹谱》

《钱谱赋》（局部）

略》"谱系"类中还被细分为"帝系、皇族、总谱、韵谱、郡谱、家谱"6个子目，而在《通志·图谱略》"世系"目下，也被细分为"帝系之谱、皇帝之谱、戚里之谱、百官族姓之谱"等子目，十分详尽。到了清代修《四库全书》时，纂修者则以"自唐之后，谱家殆绝，玉牒既不颁于外，家乘亦不上于官，徒存虚目，故从删焉"为由，将谱牒这个类目从《四库全书总目》中删除了。民国初编制的《清史稿·艺文志》仿照其例，不设谱牒专类，而将此类附于"史部·传记"类之下，可实际上又并未著录家谱图书。值得庆幸的是，四库馆臣们的这个看法并不代表着整个社会对家谱价值的认识，在清朝编制的各种私家目录、专科目录，如黄虞稷《千顷堂书目》，钱曾《述古堂书目》、《读书敏求记》、《也是园书目》，徐乾学《传是楼书目》，王闻远《孝慈堂书目》，姚际恒《好古堂书目》，汪宪《振绮堂书目》，张之洞《书目答问》和章学诚《史籍考》等中，也都专门设有"谱牒"、"谱系"等类目。尤其值得一提的是，徐乾学在《传是楼书目》中还将谱牒分成"谱系"、"家谱"两类，并列于史部之下；钱曾《也是园书目》卷三、卷四则分设"谱牒、姓氏、玉牒"等类目；而章学诚的《史籍考》则更进一步将"谱牒部"细分成"专家"、"总类"、"年谱"、"别谱"4类，足见他们对家谱类著作价值的认识。从这些类目的不同类名来看，一方面，反映了古人对谱牒重要性认识的增强，努力在自己的目录中将自己对谱牒的认识表达出来；另一方面，也反映了人们对谱牒认识的不一致。

　　早在清朝后期，就已出现了谱牒书的专门目录。甘肃人张澍曾编有《姓氏书总目》，收录各类与姓氏有关

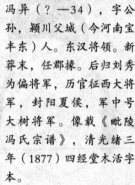

冯异（？—34），字公孙，颍川父城（今河南宝丰东）人。东汉将领。新莽末，任郡掾。后归刘秀为偏将军，历官征西大将军，封阳夏侯，军中号大树将军。像载《毗陵冯氏宗谱》，清光绪三年（1877）四经堂木活字本。

中国的家谱

潘美（925—991），字仲询，大名（今河北大名东）人。北宋大将。初从后周世宗征战。入宋南征北伐灭南汉、南唐、北汉，御契丹，累官至检校太师，后加同平章事。谥武惠。像载《上海潘氏家谱》，承志堂1935年木活字印本。

的古人著作267种，大致包括帝王、皇帝、宗族系谱，百官谱，地方姓氏姓谱，朝代姓氏姓谱，少数民族姓谱等，其中显族大姓谱系居多，也包括一些与谱牒有关的工具书，每部书都有简单提要或作者按语，内容包括出处、作者概况、著作缘起、内容梗概等方面。

近几十年来，随着人们对家谱类著作价值认识的日渐深入，对家谱著作的记录与整理工作逐步走上正轨，达到一个新的阶段，其主要特征是海内外较多地出现了专门性的家谱目录。在已出现的专门的家谱目录中，可以区分为反映一处收藏的馆藏家谱目录和反映收藏处所的联合家谱目录，此外，还有撰有提要的馆藏家谱提要目录。这些不同类型的目录形式，对于人们进一步了解、把握和利用家谱资源，发挥了积极的作用。

祖国大陆之外较著名的家谱目录，有1978年香港大学冯平山图书馆所编《族谱目录》，收录馆藏家谱原件374种，缩微胶卷92种。1987年，台湾《联合报》文化基金会国学文献馆出版了盛清沂所编的《国学文献馆现藏中国族谱资料目录（初辑）》，收录馆藏以缩微胶卷为主的家谱文献一千九百多种。同年，台湾省各姓历史渊源发展研究会发行了赵振绩、陈美桂合编的《台湾区族谱目录》，收录台湾地区公私所藏各类家谱一万零六百余部，成为一时之冠。20世纪80年代初，日本学术振兴会出版了日本学者多贺秋五郎的《宗谱之研究》，在其著作的下册记录了日本收藏的中国家谱1491部，美国收藏的1406部，中国（含港台）收藏的9800部，共计12697部，不足的是这其中包括了相当数量的重复收藏，实际数目远没有这么多。1983年，台湾成文出版社出版了美国人编的《美国家谱学会中国族谱目录》，这是一部馆藏目录，共收录美国犹他家谱学会收藏的中国家谱2811部，另有补遗298部，合计3109部。在这之中，只有《台湾区族谱目录》和日本《宗谱之研究》是联合目录，其余都是馆藏目录。

祖国大陆的家谱目录在相当时间内大多存在于未公开出版的各图书馆所编的馆藏善本或古籍目录之中，单独列出的如福建省图书馆、河北大学图书馆、中国人民大学图书馆等，并不很多。20世纪80年代后，情况发生了变化，我国收藏家谱较多、质量较高的中国国家图书馆从20世纪80年代中期开始对馆藏家谱进行了清理与编目工作，并在此基础上组织人力为馆藏三千余种家谱逐一撰写提要，目前已基本完成。随着《中国国家图书馆馆藏家谱提要》的完成，中国国家图书馆为读者提供馆藏家谱的检索服务将上一个新的台阶。

祖国大陆公开出版的家谱目录大致有如下3部：

首先是1992年山西人民出版社出版的反映山西省社会科学院家谱资料研究中心收藏中国家谱胶卷状况的《中国家谱目录》，共收录家谱缩微胶卷176盘，2565种。

1983年，南开大学历史系组织力量对北京地区公共图书馆和高校图书馆收藏家谱状况进行了初步调查。1984年，在此调查基础之上，国家档案局、南开大学历史系、中国社会科学院历史研究所图书馆决定扩大调查范围，联合编制一部能够反映海内外中国家谱收项状况的大型工具书《中国家谱综合目录》。经过多年努力，此目录已编制完成，1997年由中华书局出版。这部大型家谱目录一共收录内地四百多家图书馆、文化馆、文管会、博物馆、纪念馆、档案馆、文物商店等单位和海外公私收藏的内地与港澳台地区1949年以前编制的家谱资

料14761种。全目正文按谱主姓氏集中，以笔画为序编排，同一姓氏的家谱，则按各家族居住地排列，正文著录依次为：顺序号、谱名、卷数、纂修人、纂修时间、出版时间、版本、册数、藏书单位等，书后附有"地区索引"和"报送目录单位名单"两个附录，极便于读者使用。虽然此目录没有也不可能收录穷尽现存的所有家谱，但仍是当今我国规模最大，也是最权威、最便利的一部家谱联合目录。

2000年5月，上海古籍出版社出版了国内收藏家谱原件最多的上海图书馆所编的《上海图书馆馆藏家谱提要》。该目录是一部解题目录，共收录馆藏以线装为主，兼及部分其他装订形式的旧修家谱一万一千七百余种。全是按谱主的姓氏笔画多少为序，每部家谱依次著录谱名、卷数、纂修者、版本、册数等，对于谱名不确者，则注明本谱名因何而得，解题内容包括始祖、始迁祖、迁徙路线、谱内各卷内容及其他有价值的资料等，最后著录本谱在馆内的入藏信息，书后附有朝鲜谱和日本谱，正文之后附录有分省地名索引、堂号索引、人名索引、常见古今地名对照表，以备检索之资。该目录是一部非常丰富也非常具有特色的馆藏家谱解题目录，既展示了馆藏，又便利读者使用，同时，作为一种示范，还能起到推动全国各公藏单位普遍开展整理馆藏家谱、编制目录工作的积极作用。

家谱由于其数量巨大和收藏分散，给人们了解、掌握和使用带来了极大的不便。尤其在收藏方面，家谱的分散程度远远超过其他类型的文献。除私人收藏本家族家谱之外，公藏之中作为收藏主体的各类中等以上规模的图书馆，也只有上海图书馆收藏逾万，收藏过千者寥寥可数，大部分是几百种以至几十种，其余有相当数

席氏始祖——周昌州刺史席公固像

量分藏在各地的文化馆、文管会、博物馆、纪念馆、档案馆、方志办、修志会、文物商店、公安局、清退办之中，由此足可看出家谱收藏的分散程度。收藏于图书馆之中的家谱除上海图书馆正式整理完毕，编制解题目录《上海图书馆馆藏家谱提要》正式出版之外，大部分未能得到完全清理，或如中国国家图书馆等那样，正在整理、编目之中，至于分藏在图书馆之外的公私所藏家谱，则根本不见著录。祖国大陆公开出版的家谱目录，也只有上述提到的山西人民出版社的《中国家谱目录》、中华书局的《中国家谱综合目录》和上海古籍出版社的《上海图书馆馆藏家谱提要》这3种，其余所能见到的大多是未公开出版的，或夹杂在各馆馆藏古籍目录之中的。要想从整体上全面了解和把握海内外家谱现存与收藏情况，仅凭这几部目录是远远不够的。由于山西与上海的目录是馆藏目录，而《中国家谱综合目录》是在十多年前大多数图书馆尚未对馆藏家谱进行整理的基础上编成的不全面的联合目录，因此，要满足这种需要，只能依赖于新的联合目录的产生。

联合目录，由于能够反映文献的收藏处所，因此，很适合于记录与揭示某种价值相对较高，内容较为独特而收藏又较分散，诸如地方志和家谱这类文献之用。联合目录的这个特点与优势，也为众多有识之士所认同与接受，这大概就是20世纪80年代以来海外正式出版的家谱目录中联合目录与馆藏目录相差无几的原因之所在。

联合目录在家谱目录中的地位与重要性，已成为海内外专家的共识，《中国家谱综合目录》与《上海图书馆馆藏家谱提要》的编成与出版，也为新编中国家谱联合目录奠定了基础。有鉴于此，2000年6月7日至9日，在由中国国家图书馆主办的"中文文献资源共建共

享合作会议"上，通过了上海图书馆申报的《中国家谱总目》的立项。同年11月27、28两日，在上海图书馆召开了有国内外25家家谱收藏单位32位代表参加的《中国家谱总目》第一次编纂会议，讨论、落实《中国家谱总目》的具体编纂工作，组成了编委会，由各编委单位分别负责各自所在地区所藏家谱的编目与初审工作，制定了编纂方案、著录规则和时间进度表。一个全新的、囊括海内外公私收藏的家谱联合目录的编纂工程拉开了帷幕。

在学术界，编制联合目录已有了一些较为成功的经验，其中最突出、最有代表性的首推《中国地方志联合目录》。《中国地方志联合目录》的前身是《中国地方志综录》，由朱士嘉先生独立完成，20世纪30年代出版，50年代末修订重版。1975年，北京天文台为了收集、整理中国古代天文资料，编辑《中国古代天象记录总集》和《中国天文史料汇编》，以《中国地方志综录》为引导，对全国地方志进行了一次比较彻底的爬梳，并在此基础上，顺便将《中国地方志综录》增补、校订一遍，形成一部反映国内各图书馆收藏方志的最为完整的联合目录——《中国地方志联合目录》。从这个事例我们可以看出，如果没有《中国地方志综录》，则肯定不会有《中国地方志联合目录》，而在《中国地方志综录》基础上编成的《中国地方志联合目录》，又远比《中国地方志综录》完整而准确，两者的关系是一种学术上的递承关系，否定哪一个都是不合适的。《中国地方志综录》对全国地方志的收藏作了相当程度的清理，同时对全国地方志的收藏状况也作了比较全面的展示，客观上起到了向学术界和社会其他各界宣传地方志价值

郑樵（1104—1162），字渔仲，自号溪西逸民，学者称夹漈先生，莆田（今属福建）人。史学家。论著有八十余种，代表作《通志》。像载《郑氏大统宗谱》，书带草堂1941年木活字印本。

的作用，提高了学术界和社会各界，包括图书馆界对地方志类文献的重视程度，对于这一点，是不能忽视的。《中国地方志联合目录》则已全部实现了《中国地方志综录》当年的构想，完整地展示了全国地方志的收藏状况，为地方志的全方位开发、利用提供了检索前提。

　　《中国地方志综录》与《中国地方志联合目录》的成功经验也可全部引入家谱联合目录的编制之中。但家谱类图书的复杂程度远远超过方志类图书，如家谱的海外收藏、私人收藏不容忽视，公藏之中收藏者又远非图书馆一家，而《中国地方志联合目录》则只收祖国大陆图书馆的收藏，要简单得多。不过，编纂新的家谱联合目录的条件已远远超过当年方志联合目录的编制，这不仅表现在海内外对编制新的家谱联合目录的重要性有了共识，并有了一定的整理和编目基础，同时，国家的重视和支持也是当时方志界所不具备的。更重要的是，近年来编成与出版的《中国家谱综合目录》与《上海图书馆馆藏家谱提要》，为新的家谱联合目录的编制奠定了坚实的基础。《中国家谱综合目录》相当于《中国地方志综录》，它的编成意味着家谱收藏部门、有关学术机构与国家行政管理部门对家谱价值的认可与系统整理意识的觉醒，反映了我国家谱收藏、整理工作的阶段性成果，对于各图书馆整理和编制馆藏家谱目录将起到积极的推动作用。而《上海图书馆馆藏家谱提要》的编成、出版，不仅为各收藏馆整理馆藏带了个好头，作了示范，更重要的是，由于上海图书馆家谱收藏海内外第一，所编成的又是解题目录，在多年的整理、编目过程中，锻炼了队伍，积累了经验，形成了一整套完整的工作规范，可以说，为新的家谱联合目录的编纂作了大量的基础性和探索性工作，这

潘岳（247—300），字安仁，荥阳中牟（今属河南）人。西晋官吏。举秀才，曾任河阳令，官至给事黄门侍郎。工诗赋，与陆机并称。像载《萧山钱清北祠潘氏宗谱》，清光绪二十一年（1895）永言堂木活字本。

189

些工作对于新的家谱联合目录的顺利编成至关重要，甚至还可以说，《上海图书馆馆藏家谱提要》的编成与出版，意味着新的家谱联合目录《中国家谱总目》成功了一半。

近二十年来，在家谱的整理方面，人们除了编制各种专门目录之外，还有选择地重印了一些价值较高、篇幅较完整的家谱资料，以供社会各界使用。早在20世纪80年代初，台湾新远东出版社就出版了几十种新、旧家谱，其他的一些出版社也有类似之举。1995年，山西省社会科学院家谱资料研究中心和中国谱牒学会，在经过十多年的收集、整理旧家谱的基础上，决定与国内多家单位联合编纂《中国族谱集成》，此套书由巴蜀书社分三批影印出版。1995年底出版的第一批100册，主要选择了张、王、李、刘、陈诸大姓及从属小姓中完整而有价值，并具有一定代表性和版本价值的家谱，施以必要的加工，在各姓氏谱前均缀有小序加以介绍和说明，以便利读者利用。

此外，浙江省地方志学会乡村社会研究中心在整理旧方志、指导编写新方志的同时，也十分重视旧家谱的收集、整理工作。目前，他们已将浙江省现存的大约五千多种旧家谱基本进行了计算机信息处理，建成浙江收藏旧家谱信息数据库，读者可以方便地从中迅速检索到有关浙江现存旧家谱的谱名、卷数、几修、修谱人、修谱时间、出版者、出版时间、版本、收藏者、收藏地点等信息。在此基础上，他们又精选出一部分价值较高、篇幅较完整的旧家谱，编成《浙江家谱（旧）集成》，以誊印形式出版发行，目前已比勘、誊印完成了《义门郑氏宗谱》和《吴氏宗谱》各一种，以提供社会使用。

JIA ZHI YU LI YONG

价值与利用

中华民族有家谱的历史已经三千多年了，在这漫长的岁月里，我们的祖先编制了难以数计的家谱，这些家谱，在他们的时代，在他们的社会、政治、经济、文化活动中曾发挥过一定的作用。从商周到汉代，家谱的

部分姓氏图腾

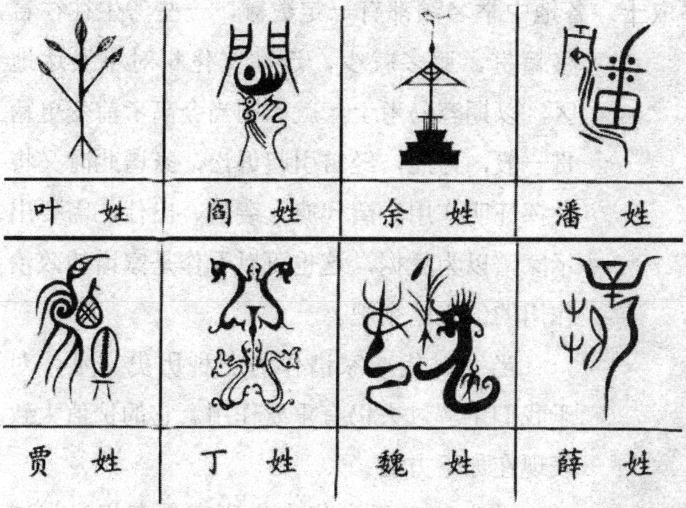

叶 姓	阎 姓	余 姓	潘 姓
贾 姓	丁 姓	魏 姓	薛 姓

主要作用是祭祀祖先、证明血统、辨别世系，同时，又是权力和财产继承的依据。进入魏晋南北朝的门阀社会后，家谱在政治、社会生活方面的重要性大大增强，家谱的主要作用是证明门第，做官以至婚姻嫁娶及社会交往都是以家谱为依据，家谱已由家族文献转而成为一种政治工具。隋唐两代，取士多由科举，家谱在选官方面的政治作用削弱，但在婚姻等方面的作用增大。宋代以后，取士、婚嫁不看重门第，各社会阶层的成员升降变

193

迁也很频繁，家谱的政治作用基本消失，编修家谱成为家族内部的事情，家谱的作用也随之发生变化。宋元明清几代家谱的纂修主要是为记录家族历史，纯洁家族血统，尊祖、敬宗、睦族，团结、约束家族成员，教育后代，提高本家族在社会中的地位和声望，家谱的教育功能增强，家谱中大量出现家族祖先的善举恩荣和各种家训、家箴，对于传播封建伦理、稳定社会秩序发挥了一定作用。因而，家谱的纂修无论是唐代以前还是宋代以后，往往都得到政府的支持和鼓励。此外，明清两代科举取士，各地中举名额都有一定数额，一些考生往往冒移籍贯，避多就少，迁往文化相对不发达地区，以期容易考上，就如同当今高考前变更籍贯一般，为此，经常引起诉讼，家谱此时又将发挥证明作用。清代旗人袭爵、出仕，需要出示家谱以为凭据，这也可以看作是家谱的政治作用的一点绪余吧。

当今时代，家谱作为一种历史文献，对于我们了解过去仍有重要作用。它的价值大致表现在如下方面：

首先，对于古代人物研究具有相当权威的资料价值。我们知道，查考古代人物，主要是通过正史中的传记，古代的文集、笔记和方志等。一些不太有名的人物，在这些资料中就很难找到，如果有，也只是寥寥数语，即使是一些著名人物，有时也存在这样的问题。家谱就不同了，家谱的特点是记录家族人物，在世系录中于每人之下均注明属于何支、何房及名、字、号、行第、生卒年月日时、享年、妻室、子女、墓地，尤其对功名、官阶等记载较

林姓始祖——比干

详，艺文中还收录了有关行状、传记、墓志等资料，重要人物还专门写有传记。这些资料，其中虽然会有溢美之词，但大多数内容是可靠的。通过家谱，我们不仅可以知道我们所要了解的人物本身的情况，还可以了解他们的世系，即祖先情况和子女情况。近年来，学者们研究的目光逐步投射到家谱，利用家谱资料，纠正了过去历史人物研究中的很多疑点。如有人利用《五庆堂重修辽东曹氏宗谱》，考证出《红楼梦》作者曹雪芹的祖籍是辽阳，后迁居沈阳，不是通常人们认为的河北丰润，曹雪芹的先人原为明朝军官，在战争中投降了满族人，开始隶属于汉军旗，后改归满洲正白旗。家谱资料的使用，使得红学研究中几大疑问之一的曹雪芹的祖籍和旗籍问题得以解决。又有人通过泉州《林李宗谱》，考证出明代思想家李贽原姓林，名载贽，他父亲、祖父都信奉伊斯兰教，其本人也有阿拉伯或波斯血统。近年于江苏苏州发现的《甲山北湾孙氏宗谱》，对于进一步弄清孙子身世、姓名及与孙膑的关系，具有重要的参考价值。学术界过去通常认为，孙子名武，字长卿，田完八世孙。可谱载孙子名开，字子疆，田完六世孙，谱中还载孙膑为孙子曾孙，其世系为开（孙子）生明，明生汧，汧生膑，与传统史学界所说孙膑为孙子之孙并不相符。虽然孙子与孙膑的活动时代相距一百四十余年，以往也有学者怀疑三代中似有缺代，但苦无证据，此宗谱的发现，使这些疑问迎刃而解。此外，近年来，如《洪氏宗谱》、《辛氏宗谱》、

《赵氏族谱》

赵氏出自嬴姓部落，祖先是帝舜时的伯益（或名柏翳），具体始祖是伯益的十三世孙造父。所《姓氏考略》记载：造父为周穆王的驾车大夫，曾为周穆王驾驶兵车救国有功，皇帝便把赵城（今山西洪洞县北）赐给他作为封邑，造父的子孙就以封地赵城为氏，姓赵。

《紫阳朱氏建安谱》、《岳氏宗谱》、《杨家宗谱》、《宋氏宗谱》、《富田文氏族谱》、《赵氏家谱》、《润州包氏家谱》等家谱的陆续发现，给我们了解和研究洪秀全、辛弃疾、朱熹、岳飞、杨家将、宋应星、文天祥、赵匡胤、包拯等历史人物的早期生活以及他们后人的事迹提供了许多宝贵资料。

第二，对于人口史研究具有重要的史料价值。家谱中的世系，是家谱中最基本的部分，对于族人的出生和死亡，都有详细记载，比官方记录要详细而可靠得多。通过家谱，我们可以了解到本家族各个时期的人口数量、人口结构、人口的增减速度和原因、人口的社会构成、职业、文化状况、婚姻状况、寿命等等。比如从清代玉牒中，我们可以统计出这么一个数字，清朝的历代皇帝一共生了103个皇子（不包括皇帝），82个皇女，他们的平均寿命，皇子为32岁，皇女为26岁，大量死于5岁之前。如康熙皇帝共有35个皇子、20个皇女，5岁前死亡的皇子12人、皇女10人；活到18岁以上的皇子只有20人、皇女8人；这些皇子、皇女，又大部分死于40岁左右的中年。皇家的卫生条件和生活条件要比民间优越得多，可还有这么高的死亡率，尤其皇族女子死亡率比男子高，平均寿命比男子短，这种现象很值得研究。另外，有学者在对上海的曹氏和江阴的范氏两个家族的家谱进行研究之后，得出了一系列与我们传统看法不完全一致的结论。[1]比如，在18世纪，曹氏和范氏家族的有子男子的平均生子数仅为1.59和2.07，当然，得出这个数字是与家谱中幼殇和女儿不入谱有很大关系，但这个

---

①侯扬方《生存压力下的人口控制行为——中国历史人口学微观研究的评述与再探讨》，《中国谱牒研究》，256页。

数字仍然比我们感觉中的数字要小；又比如，两个家族的男女初婚年龄分别为20岁和18岁，也不像我们想象中的那么小；再比如，这两个家族中成员的家庭多以核心家族为主，这也与我们传统观念中中国古代多以大家庭为主不符，但这都是事实，是家谱的记载。有关这类资料，除了家谱，是无法从其他方面获得的。

第三，为封建时代宗族制度的研究提供了最基本的资料。宗族制度是封建宗法关系的重要组成部分，是封建统治的基础，也是中国传统文化的一个重要内容。家谱中对于封建宗族制度的介绍和体现是非常全面的。家谱中记载了有关宗族的构成，祠堂的组织、规模、结构、职能、管理范围与官府的关系等，祠产的类型、数量、形成、经营方式和收入用途，族学的规模、收录学生的范围、资金来源、维持方式、奖励内容等。家谱中的族约、宗规、家训、家箴，是用封建的伦理道德来约束族人的思想观念。祠规、家礼规定了各种祭祀、婚丧礼仪和行为规范，包括不准从事的职业，立、继嗣的程序以及违背之后的惩罚措施等。封建的神权、族权和夫权在家谱中都有很明显的体现，这些资料，在其他类型文献中是很难如此集中地出现的。

第四，为移民问题的研究提供了第一手资料。在中国历史上，各朝代人口的流动是很频繁的，而任何一部家谱都要记录族源和迁徙情况，本家族的始迁祖由何处而来，迁居原因，经何处而定居此地等等，都须一一交代清楚。此外，家族定居后又有哪个支房迁出，迁移的原因、数量、迁居何处、移民生活、移民与当地土著

黄泓（十六国前燕），一作黄泓，字始长，魏郡斥丘（今属河南）人。前燕官吏，学者。历官西海太守，领太史令、开阳亭侯。精通天文秘术、《礼》、《易》，卒年九十七岁。像载《梁溪黄氏续修宗谱》，1931年居正堂木活字本。

的关系、迁居与本房的关系等，都有记载。如果较大规模地对家谱中的移民资料进行分析，所得出的结论与一些自然科学家从遗传学的角度研究中国历代姓氏分布史的结论是大致吻合的。另外，通过对一些民族在不同时代和不同地域的发展状况进行考察，也可以看出这些问题。比如，在对浙江的畲族家谱进行考察后，可以了解到如今居住在浙江的畲族同胞都是明初以后方才迁移来的，明初以前浙江无畲族。此外，如果我们相对集中地对河北、河南、山东、安徽等省家谱中的移民资料进行研究，就会发现，山西省洪洞县在明朝初年的大规模移民中的重要性。元朝末年，群雄并起，从以韩山童、刘福通为首的白莲教徒在颍州起义至明初大将徐达、常遇春北伐，收复中原，将元顺帝逐出漠北，一共有十多年时间，战乱导致中原、华北、华东北部一带十室九空、万户萧疏，人口急剧下降。而在民间传说中，却将河南一带赤地千里无人烟的责任怪在朱元璋大将胡大海头上。传说胡大海身高魁梧，面相丑陋，年轻时曾在河南林县一带行乞，当地人看见一个壮汉不去干活谋生，却讨吃要饭，大多不给，更有甚者，还有人加以辱骂，胡大海难以忍受，暗暗发誓，日后得意了一定要雪此奇耻大辱。后来胡大海投奔朱元璋，作战英勇，积功做了大将军。朱元璋即帝位后，封赏众将士，胡大海什么都不要，只求允许他去河南报仇，朱元璋思虑再三，只同意他在河南报一箭之地的仇。于是，胡大海带上家丁、士兵来到河南，恰逢天上一行大雁飞来，胡大海一箭射中最后一只大雁的尾部，大雁带箭而飞，胡大海就大开杀戒，那只受伤大雁一直飞过河南，飞到山东，胡大海也就将河南、山东一带烧杀一空，他自己也在混战中死去。为了国家的稳定和租赋，朱元璋无奈之下，只好从外地移民进来。元朝末年，中原残破，而山西，尤其是晋南一带，由于是元将扩廓帖木儿（汉名王保保）镇守，此人足智多谋，骁勇善战，加上山西地形特点，保住了山西没遭兵灾，再加上那些年山西风调雨顺，自然人丁兴旺，周边的百姓也纷纷跑向那里。朱元璋建立明朝政权后，为了政权的长治久安和发展生产，当然要向地广人稀的中原各地移民。明初的大规模由山西向外部移民大约开始于洪武三年（1370）至永乐十五年（1417），共经历了四十多年时间。移民所到的地区主要是河南、北京、天津、河北、山东、安徽、江苏、湖北、湖南、陕西、甘肃、内蒙、宁夏等地，后来又有转迁至东北、云南、四川、贵州、新疆等地区的。移居者都要到洪洞县北二里的广济寺办理手续，领取"凭照川资"，由于故土难离，虽然外迁有许多优惠政策，如几年不纳粮之类，大家也不愿走。于是，就又有了这样的传说，说是大家都不愿迁移，官府就张贴告示，限定某日之内，愿迁者到广济寺大槐树下报到，不愿迁者，也须到大槐树下等候裁定。到了那日，成千上万的民众聚于大槐树下，这时，官府则调集大批官兵，将来到之人，不论男女老幼，一律捆起迁走，众人一步一回首，看着逐渐远去的广济寺里的大槐树和大槐树上的老鸹窝，心中无比留恋，大槐树和老鸹窝也就成了泣别家乡的标志，代代相传，也就有了许多诸如"问我祖先来何处，山西洪洞大槐树"、"问我老家在哪坡，洪洞县里老鸹窝"之类歌谣，这些移民们也就把洪洞县大槐树老鸹窝作为老家，写进家谱。辛亥革命时期，山西巡抚陆钟琦被杀，袁世凯派新巡抚张锡銮率卢永祥部进攻山西

革命军，卢军一路烧杀抢掠，进入洪洞后，仍有"半天不点名"的命令，鼓励部下抢掠，可军中士兵大多为山东、河南人，来到大槐树下，纷纷跪拜，认为是回到老家了，不仅没抢，还将在别县抢得之物供于大槐树下。从此大槐树名气更大，时人建立牌坊，牌坊上大书"荫庇群生"，就是纪念此事。建国后，政府多次拨专款，增建建筑，辟为公园，如今的每年4月1日—10日，洪洞县都要举办"寻根祭祖节"，来此参加祭典和观光的海内外华人多达十几万。

由于强迫移民中的大多数人是被反绑着，路远时间长，渐渐形成习惯，至今人们仍有将具有背着手走路特征的人称为洪洞县人后裔的说法。捆着走路，大小便时便要报告，请求解开，次数多了，解手也就成了大小便的代名词，至今仍在使用。

第五，是联系团结海外华人，增强中华民族凝聚力的重要因素。自20世纪60年代以来，世界范围内掀起了"寻根"热潮。70年代中后期，美籍黑人亚力克斯·哈利通过实地寻访和查阅家谱档案，创作了世界名著《根》，进一步掀起了世界性的"寻根热"。中华民族自古就有尊祖敬宗、追本溯源的文化传统。目前，据统计，在海外的炎黄子孙已超过5500万，分布在五大洲一百多个国家和地区，尽管有相当部分已加入所在国的国籍，但民族与文化认同并没有改变。在世界近万个华人社团中，以宗亲会、同乡会为代表的亲缘性社团占了很大比例，并且在发挥着积极作用。近年来，在海外华人和港、澳、台同胞中，回大

李氏远祖——颛顼

陆寻根的浪潮日益高涨，他们的祖先，当年因为各种原因背井离乡，在异国他乡定居下来，娶妻生子，繁衍后代，可他们的根还在祖国大陆，他们想了解祖先的情况，一有机会他们就返乡认宗。1988年，当时的菲律宾总统科拉松·阿基诺夫人在访华期间，就曾专程去其曾祖父许玉宗的故乡福建省龙海县鸿渐村认祖。新加坡资政李光耀先生的祖籍在福建上杭丰郎村，据《古野唐溪李氏族谱》记载，他是李氏入闽始祖李火德的第28代裔孙。此外，每年举行的祭祀黄帝、炎帝陵仪式，也都有相当多的海外华人参加。海外各地的同姓宗亲会，也常常联合起来，回国祭祀共同的祖先。这一切都大大加强了中华民族的凝聚力，为中华民族的强大和伟大复兴奠定了坚实的基础。而这其中，家谱的作用功不可没。在现代的侨乡家谱中，都普遍记录了不同时代出洋人的姓名、辈分、生卒年月日、婚配、子女、出洋时间与原因、侨居地点、从事职业、卒葬地点与原因、在海外的际遇与建树、同故乡故国的联系与贡献等内容。有些还辟有专章、专传介绍，这就为他们的后裔寻根问祖提供了可靠的根据，也就更增加了他们对故国故乡的依恋之情。

陈氏宗谱碑

　　第六，是促进两岸和平统一，反对"台独"的有力工具。台湾自古以来就是中国领土，台湾人民是中华民

族的一部分，也早已是不争的事实。据当代科学工作者研究证明，即使台湾的原住民——高山族同胞，也与大陆东南沿海居民有着同源关系，也就是说，高山族是上海地区古代百越族的后裔。这个结论是通过现代科学手段，即DNA技术获得的，因为百越民族所独有的M119C，在台湾高山族的布衣族中存在的比例高达80％，而在阿美族中则达到100％。高山族之外的台湾早期移民，也大多是从大陆的陕西、广东、福建去的，尤其以福建为最多。有人对福建省的家谱资料进行研究，了解到福建移居台湾的最早记载是两宋之交的苏姓。古代大陆移民台湾共经历了三次高潮：第一次是明末天启年间，泉州、漳州一带贫民迁居台湾达三千多人，崇祯年间又有数万人，这是一次有组织的移民。第二次是郑成功收复台湾后，跟随郑成功而去的。第三次是康熙年间清政府统一了台湾郑氏政权，开放海禁，移民人数多达几十万。从有关家谱中我们可以了解到移民的人数、成分、原因，他们的婚姻状况、分布特点及与大陆的关系等。近年来，以陈水扁为首的"台独"势力不断否定台湾与大陆的这种关系，反对一个中国，声称自己是台湾人，而非中国人。可事实绝非如此，就是陈水扁自己，其祖先元隆公明朝末年由江西迁到福建省漳州市诏安县霞葛镇，其墓至今仍在，元隆公的一个儿子来到太平镇白叶村定居。18世纪中叶，陈水扁的九世祖陈乌漂洋过海去台湾。这些内容都在台湾陈氏祖先牌位中被记录着，也和南诏陈氏宗人保存的《陈氏族谱》的记载相吻合。另一个"台独"中坚吕秀莲，其祖先是由山西永济蒲州镇迁到闽南，大约于五百年前定居于福建省南靖县书洋乡田中村，并于清康熙年间，为防止外族和盗匪侵扰，建有一座4层64个房间的中等方形土楼，取名龙潭楼。为谋求新发展，清乾隆五年（1740），龙潭吕氏第11代孙吕廷玉携妻东渡台湾，后在台湾生3子，世世繁衍。自1989年起，台湾吕氏宗亲7次组团返乡祭祖，时任台湾桃源"县长"的吕秀莲也曾随团回乡祭祖，并曾站在祖宅内的水井边说过这样的话："我要喝一口故乡的井水，这叫饮水思源。"至今，海峡两岸的吕氏宗亲们还在商议共修族谱之事。就连"台独"老手李登辉，他的祖籍，据其父李金龙说，与李光耀一样，同为福建上杭丰郎村，也是李火德的裔孙。清乾隆末年，李登辉的6世祖李崇文迁台谋生，繁衍后世。近年来，随着海峡两岸交往的增多，大批台湾同胞回大陆探亲寻根，已成为一股不可逆转的潮流，在台湾的国民党已先后有多名领导人回大陆访问和寻亲祭祖，此外，像章孝严这些国民党名流也有许多来大陆省亲祭祖。海峡两岸要统一，利用家谱资料联络亲情是一个非常重要的措施。

此外，家谱资料还为地方史、家庭结构与功能、社会结构、妇女地位、优生学、民俗学、经济史、科技史、宗教史、中外关系史等领域的研究提供了大量的可信资料，具有极为重要的价值。实际上，家谱的价值，古人早已给予了很高的重视，南北朝时期裴松之注《三国志》、刘孝标注《世说新语》、魏收著《魏书》，宋代欧阳修撰《新唐书》，就曾大量地使用了家谱资料。宋人郑樵、清人章学诚、近人易熙吾等，也都对家谱的价值作过介绍和评价，当今学术界对于家谱的价值也早已有了共识。

然而，由于家谱是私人纂修，有些记述往往华而不实，言过其实，尤其在先人功名、宦迹、婚姻等方面，

有些内容甚至妄相假托、有意捏造，这部分内容我们在使用中要注意鉴别，不可盲从。但是，家谱中的主要部分，如五世内的世系、宗规、家训、祠堂、人口、艺文等方面的内容，一般还是可信的。此外，我们在使用家谱资料时还须注意家谱的几修，所用资料是照录原件还是新近加写的，对于不同时代的资料要区别使用，这也有助于提高资料本身的价值。总而言之，家谱具有很高的资料价值，同时也存在一些不实的内容，因此，我们在使用家谱时，一定要注意区别对待，去伪存真。

家谱的现状

新中国建立之后，由于众所周知的原因，家谱也和所有与家族有关的东西一样，被赋予了封建的色彩。在几十年的时间内，不要说续修家谱，就连家谱的收藏也成为一件不应该和不允许的事。上海图书馆之所以收藏家谱原件成为海内外之冠，其中很大部分就是已故馆长顾廷龙先生在解放初期从造纸厂里抢救出来的。这种状态持续了几十年。20世纪60年代初，虽然有过一些零星的修谱之举，但很快就被打没下去。直到80年代初，随着改革开放的日渐深入，广大群众被压抑了几十年的宗族意识又开始萌发。于是，在某些农村，在某些沿海地区，开始陆续有人修坟、祭祖、续修或新修家谱。到了90年代，续修、新修家谱之风开始普及和盛行，这其中除了如前文所说的家族意识在起作用之外，海外华侨、华人回大陆寻根问祖，政府主持的新修地方志工作，理论界对旧谱评价的提高和不断有旧谱、名人家谱得以影印出版，起到了推波助澜的作用，再加上大环境的日渐宽松和人们生活水平日渐提高，新修、续修家谱也就成了一种较为普遍的行为。由于家谱是一种家族性和私密性很强的文献，修成之后又基本上是自行印刷、家族内收藏，国家没有一个部门能够对此进行有效干预和管理，因此，民间修谱基本上处于失控状态。二十年来，祖国大陆到底新修、续修了多少家谱，只能有估计，而没有统计，初步估计一下，应该有数千种之多。

不过，虽然新修、续修家谱数目没有精确统计，可对于新修、续修家谱的状况，还是可以作一个大致分析，归纳出下列特征：

首先，在家谱类型上，除了传统类型仍占绝大部分之外，还出现了一些新变化与新类型。一种是为了减少不必要的麻烦，在封面上印上"某氏志"字样，而内文则直书"某氏宗谱"，如浙江的《赵氏志》、《潜氏志》。第二种是以村志的名义，夹杂大量家谱资料，这种情况仍以浙江居多，村志大多分为两部分：前一部分述一村的自然、地理、经济、文化、教育、著述等一般情况；后一部分则以"人口编"或"世系编"为名，记录行传、世系、基图等家谱内容，家谱内容的篇幅远远超过村里一般状况的内容，实际成了家谱的曲折表现形式。这其中，根据收录内容不同，又可分为两类；一类是本村较大，各姓杂居，因此，就按人口多少依次收录有关姓氏，实际上成了各姓家谱的合编，如《河头村志》，收录本村52个姓氏的世系，《前杭村志》，收录本村9个姓氏的世系。另一类是本村为一姓聚居，村志中的谱系部分则以一姓为主，有的在书后略微附有零散他姓的简单世系，如《岘川志》，实为周氏家谱，《古山志》，为胡氏家谱，《俞溪头志》，为俞氏家谱，《寮前村志》，为骆氏家谱，《下徐店村志》，为徐姓家谱。有的就干脆叫做"某氏村志"，如江西南昌的《万氏村志》。也有的分辑出版，如浙江东阳虎鹿镇《蔡宅村志》，共分五辑，分别出版，第一辑为姓氏源流，第二辑为村史纪略，第三辑为人物传录，第四辑为世系排行，第五辑为艺文、著录、功德、荣誉、志尾。五辑中与家谱直接相关的有三辑，加上间接相关的，共有四辑。有意思的是，由于修新志是一种政府行为，需要得到政府的批准和经过政府有关部门的审查，而村志中夹杂大量家谱内容是绝不可能通过审查的，于是，编修者都不约而同地采用了同一种方法，即只送纯村志部分，扣下家谱部分；一旦审查通过，再将家谱部分加入，印刷发行。第三种是以家族史的形式出现，海外有《赵氏简史》，国内有《郭氏史略》、《程氏史稿》、《枫川陈氏族史》等。第四种，以女性及其配偶与后裔为主的专谱。海外有《刨根问底集——林家三姐妹的后人》，记录了林则徐三个女儿、女婿及所有后裔，历九代；《十四世陈廉静（鉴清）五女联修谱》，为陈氏五姐妹联合修谱，历五代。大陆虽无专门女性谱，但子女及其配偶、后代均收入的也有一些，如《西清王氏族谱》、《长乐林氏开蓉公五代后裔宗谱》及平江《李氏家谱》等。

苏洵（1009—1066），字允明，号老泉，眉州眉山（今属四川）人。文学家。唐宋八大家之一，与子苏轼、苏辙皆以文学名世，合称"三苏"。曾为文安县主簿，又称"文安先生"。

家谱的现状

其次，编修者也发生了变化。过去修谱通常是由族长或族内德高望重、知识渊博的人主持，现今的修谱者，在乡村通常是由一些辈分高、热心公益事业、有较高威望的人，还包括一些退休教师和基层干部，也有一些家族在修谱时聘请参加过县志编修的工作人员为顾问；而城市则以高层文化人为主，也有一些是前代修谱人的裔孙。近年来，随着修谱风气的普及和修谱市场的扩大，在很多地区，尤其是农村，出现了一些专职修谱人——谱师。进入90年代，祖国大陆的家谱纂修还出现了一些新的特征，其中最具典型意义的是学会组织编写和企业的介入，如《新编苏氏族谱》，即是由"长春苏颂学术研究会"在世界苏氏宗亲总会的支持下编成的。

另据《光明日报》报道，河南荥阳市成立了"郑氏名人苑兴建委员会"和"郑源实业有限公司"，联合印制了多期《荥阳与郑氏》，分赠各地，为郑氏族史研究搜集资料、提供信息与研究成果。此外，四川成都市亦成立了"阎晋修宗源有限公司"，出版有《中国姓氏家谱》，对旧有家谱的内容与格式进行改革与创新，努力向社会推出公司的研究成果与新格局的家谱形式，以企业的方式向社会提供纂修家谱的指导与咨询服务，以促进民间修谱的健康发展。

第三，经费来源发生变化。过去修谱，经费大致来自祠堂公产，家族成员公摊，按入谱条目、字数或领谱数目摊钱，自愿捐赠四个方面。如今在祖国大陆，祠堂公产基本不存在，经费来源主要是族人公摊、自愿捐赠、赞助和售谱书收入。族人公摊与以往有所不同，有些家族分成两个部分，一为人丁费，每人交一定的数目，各家族所收也不一致，最少的为每人两元；另外为学历费，如《黄坛麻氏族谱》规定，人丁费每人15元，高中、中专加收30元，大学（大专）加收60元。有的家谱男女兼收，但有所区别，如《吴兴沈氏宗谱》规定，人丁费男15元，女未嫁每人10元。对于一些特殊人物和特殊困难者，也可免收，如《五云赵氏宗谱》规定，烈士亲属、政府五保户、95岁以上老人、残疾者及经济特殊困难者，可免交人丁费。有的也仅收人丁费，不收学历费。捐赠、赞助为自愿，并按金额大小给予相应的褒奖，诸如列入芳名录，分别授予名誉理事，名誉副理事长，名誉理事长等称号，也可写简介、刊载本人或家庭照片，赠送家谱等。如《吴兴沈氏

《沈氏家谱》

宗谱》规定：赞助380元以上者，写500字自传一篇，为名誉理事；赞助580元以上者，送谱书一部，写500字自传一篇，为名誉理事；赞助1000元以上者，为名誉副理事长，送谱书一部，写自传一篇，按赞助多少，交款先后排名，金额最高者为名誉理事长。售谱书的价格一般有两种：一种是成本价；另一种低于成本价，如川渝《徐氏宗谱》，共印刷1240册（其中精装435册，简装805册），成本为精装每本57.10元，简装42.80元，销售价为：精装每册20元，简装每册15元。也有前两项所收经费不够，大部分由某人垫支，待谱成后由售谱收入充顶，如《平定宋家庄王氏家族谱志》即是这样，收入与支出相差1384元，由主任委员王象山垫支，待出书后，再收取部分书款顶平。如果家族中有海外宗亲，有时所有费用就由其一人承担，这种情况不多，大多数是主要费用由海外宗亲共同承担。

第四，修谱的指导思想发生了很大变化，具有时代感。过去修谱，是以封建宗法观念为指导，以父系世系为轴心，宣传封建礼教，提倡忠孝节义，褒奖功名富贵，强调光宗耀祖。而现在修谱，一般以平等思想为指导，迎合时代潮流，提倡建设现代人伦的思想文化取向，发扬尊祖爱乡的传统精神，赋予新的文化内涵，其中的重要表现是男女平等，不分大宗小宗，世系排行中很多也是妻女同时入谱，如若是独生子女，即使是女儿，也作为世系传人记录。此外，在很多谱中，养子、赘婿也能入谱，同时，谱中还增加了许多热爱社会主义、热爱中国共产党、爱国爱乡、计划生育、遵纪守法等内容。

第五，谱书结构也发生了很大变化。当然，这其中

赵德（975—1046），字子砳。宋宗室。赵光美第八子。封东平郡王赠太尉中书令，卒谥恭裕。像载《锡山赵氏宗谱》，清宣统元年（1909）木活字本。

还是有所区别的，农村所修家谱比较强调家族荣耀，因此，旧谱中的诸如序、跋、敕诰、判词、诗文等一般都照录不改，同时，由于农村家谱受县乡志影响较大，县乡志中的体例如概述、大事记、自然、村史、村民、组织机构、医疗卫生、文化教育、诗文辑存、前言、后序等，在谱中都有所反映，有时还会收录一些有关土地管理、老年人权益保障的法规条文和村规条约、社会功德歌、劝善歌、劝学歌等普及性宣传资料。当然，谱中最重要的还是世系，所占篇幅也是最大。而城市所修家谱除世系之外，则更重视历史、传承、迁徙等内容的考订和现状的描述，可靠性较高，因此，很多谱中都有诸如图略、风云、风情、经济、创业录、家谱大事记、家族通讯录、家族影集、亲戚等，记录本家族在当今各方面和各历史阶段的基本情况，真实可靠。根据冯尔康先生的归纳①，如今的家谱，以下几个部分大致是不可缺少的：1. 姓氏，说明姓源和姓义，近代家谱中重视程度超过古代；2. 地望与区域社会，叙述家族居住地及其社会环境；3. 移徙，永远居住一地的家族很少，而迁移过的家族都非常重视家族的祖籍、迁移经过与历史；4. 世系表图，这是家谱的主体部分，现在比以前有很大变动，男女平等是重要特征；5. 传记和个人资料，登载家族中的名人、名媛或有嘉言善行的族人的传记等；6. 坟墓，说明祖坟之所在，常常绘有祖茔图；7. 祠堂，介绍祭祖及家族议事场所，也常绘成图；8. 族规、家训、懿范；9. 文献，收录家族成员的诗文或他族人赞诵本家族的文献；10. 统计表，类目众多，如家族人口统计表、世系

①冯尔康《当代家族编修论略》，《中国社会历史评论》第一卷，61页。

检索表、家族大事年表等。除了上述10部分之外，各家族根据家族特点，也会增加一些相关内容，限于篇幅，此处不多赘述。

第六，印制出版发生变化。由于政策性原因，国内新修、续修家谱，除由于极特殊因素方能得以正式出版之外，绝大部分是自行印刷，印刷方式有雕版线装、铅印、胶印等数种。这也是导致某些地区私营打印、印刷企业发达的原因之一。印刷数量一般在千册左右，多者有的到两三千部。

第七，仪式比之过去有过之而无不及，尤其是谱成之后的颁谱仪式，更是热闹非凡，简直就是家族的盛大节日。届时，近邻远亲，十乡八村，外县、外省乃至海外宗亲，成百上千，汇聚一地，祭祖拜宗，领导光临壮威，族众轮流登台，旌旗花篮，鼓乐炮竹，舞狮舞龙，连续几日，宴开数十百桌。晚上是既放电影又请戏班，接谱的车队浩浩荡荡，十分壮观，其盛况远远胜过春节、元宵，简直就是家族的狂欢。通过这种方式，既显示了家族的凝聚力，也向社会展示了家族的力量。

近几十年，香港、台湾地区以及东南亚和西方的华

李氏家祠石碑图

人社会中，寻根、认宗、组织宗亲会、新修家谱已成为一股潮流，并且还有不断扩大和深入的迹象，其中尤以台湾最为活跃。原先台湾的家谱数量较少，早期移民赴台时，多未带家谱同行，一旦稳定下来，有机会即返回祖籍抄谱祭祖，修缮祖茔。这种风气清代嘉庆之后开始流行，在民国建立后而抗日战争尚未爆发的日本占领期间，虽在日本人的淫威之下，但返回大陆祖籍抄谱和祭祖修坟特别流行，这也是有些家族家谱大陆已不存，而台湾仍存的原因之一。近三四十年来，台湾日渐重视新修、续修家谱活动，家谱研究也随之深入，就连大学中某些中国通史课程的老师们也指定学生写制各自的家谱作为作业，当然这样写就的家谱质量难免不高。

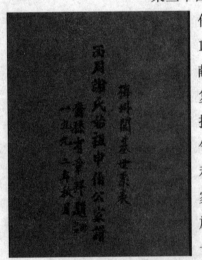

《西周谢氏始祖申伯公家谱》

1981年，台湾《联合报》文化基金会成立国学文献馆，从香港等地和海外大量收集家谱资料，并复制了美国犹他家谱学会所藏的中国家谱胶卷，提供给公众使用，更刺激了台湾新修家谱的风气。再加上社会提倡，民众关心，学术界的关注和出版界的参与，因而，短短几十年间，台湾的家谱就达到相当数量，据1987年出版的《台湾区族谱目录》记载，大约有各种类型的家谱资料一万零六百余种，其中有相当部分是新修家谱，也有不少属历史系学生的习作。从近年的情况来看，台湾所修家谱的质量在上升，出现了许多佳作，并且，尚有不断增长的势头。

　　台湾地区家谱纂修与祖国大陆相比，具有自己独有的特点。比如，在纂修方式方面，就有家族自行纂修、聘请专业人士纂修、祭祀公业主修、宗亲会倡修、学者协修、出版社代修以及两岸族人联合纂修等多种形式。

这其中，以聘请专业人士纂修、祭祀公业主修、宗亲会倡修、出版社代修较为有特色。聘请专业人士纂修，通常与出版社代修结合起来，从资料收集到修纂、出版、发行，一包到底，由于成本较低，因而，这种方式在相当一段时间遍布台湾全岛。但用这种方式所修成之谱的总体质量不是太高，虽偶有佳作，可大部分被称为"拼盘式"或"杂烩式"家谱。祭祀公业主修最大的特点是经费充足，这是因为早在日本占领期间，祭祀公业就开始逐步形成组织规模和制度化，日常工作即是保管、经营祖先遗留财产，管理祠堂、祠产，举行祭祀仪典，纂修家谱，因此，纂修家谱时一则依托祠堂，材料基本齐全，二则经费可由历年节余和祠产开支。宗亲会在台湾非常普遍，据《台湾区姓氏堂号考》介绍，台湾共有宗亲会一百多个，基本上每个大姓均有，还有一些是双姓、三姓、多姓的，分布也很广，如六桂宗亲会，为洪、江、翁、方、汪、龚六姓，分布在从台北到基隆，从北到南，共8处。宗亲会还有全球性、全省性和县、市之分，规模大小不一，主要工作是联络同姓宗亲族谊，举办联合祭祖，筹建祖庙，集资倡修家谱，所修之谱有相当部分是联宗谱。

在台湾地区，不仅从祖国大陆去的家族注意修谱，就是原住民现在也开始重视修谱，同时，两岸合修家谱的现象在增加。另外，在新修、续修家谱中，还有一类异姓联宗谱，如朱庄严、赖罗傅、韩何蓝等，其数量远远超过大陆地区。如今台湾地区修成之谱，内容一般都较丰富，印刷也很精美考究，其中有相当部分是宣纸线装本，更多的是精装彩印本，体例也趋向现代化。我这里有一张王姓家谱的世录表，从中可以看到，每人一

页，除自身信息外，同时还载有父、祖，配偶及父、祖、子女的信息，内容已经非常详细，这种方式，很值得借鉴。（见下方图表）

三槐堂　世録表

第二十世		
学名　别号　血型		
出生地	一九五七年10月26日 降生	
排行　长子　宗教		
王能法		

本人照片

配偶照片

父　王裕能　母　高林美
祖父　王建顺　祖母　宋月秀

子女　配偶姓名　原籍　血型

长子台　次子　三子　四子　女　女　女
排行　学名　学　姻　历

父　母　祖父　祖母　氏　氏
年月日　诞生
年月日　结婚

学　姻　历

本支族人世録壺

家庭迁徙记録
苏州阊门
避徙至苏北盐城避难
淮安郡盐城县长建乡
新安里西集社
江苏省盐城县上冈镇西官社
江苏省建湖县…西乡
上海市…区…路

身後記事（由子孫續记）
考祖卒　年　月　日　時　卜其於　地坐向
妣祖卒　年　月　日　時　卜其於　地坐向
婆　支异號室

王氏…谱

216

JIA PU DE SHU ZI HUA

家谱的数字化

家谱数字化是整个文献数字化或图书馆数字化的一个重要方面和重要内容。当今社会，文献数量急剧增长，给人们了解、掌握和利用文献带来了极大的不便。随着人们逐步进入信息社会，以及现代信息技术的发展和计算机技术、网络技术在文献学界和图书馆界的普遍运用，必将极大地改变这种状况，为读者和用户带来极大的便利。家谱数字化正是在这个背景和前提下被提出来的，并日益受到人们的重视。

　　家谱数字化实际上是通过扫描或文本的方式，将现存纸质型家谱资料（包含文字、图片）转化为计算机能够识别的数字化储存，以便于保存、阅读和网络传输，读者可以方便地在不同地点同时通过计算机来阅读和检索。数字化处理后的文献，大致具有如下特征：由于所占空间极小，因而，导致信息容量增大；同时，还能避免原件因长期或永久保管造成的自然或人为损害，从而延长了文献的生命；相同的储存容量相比，数字化存储的成本更低；能将各种资料有机组合，互相参照，可以使资料更具系统性；数字化后的资料可以包含图文、声像等内容，极大地增强了可读性，内容也更丰富；由于数字化信息具有可重复使用的特点，能够允许若干查询者同步利用同一份文件，因而，信息的利用率可大大提高；与

《新化游氏族谱（全册）》咸丰年刻

网络相连接，还可以实现远程传输，达到资源共享的目的。简单地说，数字化就是数据库加网络化。

从以上特征来看，文献的数字化处理绝不仅仅是将纸张载体变成电子形式的翻版，而是将其原有内容与先进的数字化手段完美结合，使之成为公众学习、研究的信息宝库和有效工具，它奉献给读者的是过去渴望而不可求的丰富、准确的知识与资料。由于文献数字化处理后具备以上其他载体形式不具备的特点，因而，除一般文献之外，近年来，即使一些数量多、内容复杂、加工难度较大的文献，如佛教典籍、地方志等，也都开始了自己的数字化进程。

吴氏泰伯墓
泰伯三让王位，被孔子赞为至德圣人，他来到江南开创了吴国，于是有了吴姓。

家谱文献也同样如此。我们知道，家谱记录了家族先祖的生存状态和精神实质，是据之可以了解我们祖辈的宝贵遗产，由于其具有寻根问祖的独特功能，世界范围内都掀起了利用家谱寻根的热潮。在数字化时代，利用高科技手段对中国家谱进行保护、收集和利用，是中国家谱开发的新思路。21世纪的家谱整理工作是数字化、网络化，数字化的发展，将给家谱的整理与利用带来巨大变化。

变化之一：彻底解决历史资料的保存问题——数字化给我们带来了新的家谱形式。

我们日常所说的"家谱"，实际上包括两个部分：载体和信息。但家谱的本质是什么呢？是信息。在以往的家谱形式中，家谱的载体和信息都是一体的，本质性的信息被非本质的载体所束缚和约束，信息并没有取得独立的地位。所以，以往家谱形式的变化都是一种非本质的量变过程。而数字化却给我们带来一个质的变化：因为家谱的本质性在于信息的独立性。电子家谱的信息与载体之间脱离了原有的一一对应关系。信息可以以真实的、独立的形态选择不同的电子载体，可以通过电子手段脱离原载体进行传输。在数字化家谱的条件下，我们接收家谱时，可以只接收家谱信息，而不必接收原载体，使资料保存进入一个全新的境界。家谱利用者利用家谱时，可以通过网络在线等形式获取家谱信息，而不必同时获取家谱载体；我们还可以利用家谱信息的这种独立性，将其复制若干套，确保家谱信息的安全。纸质时代，如为了家谱的安全，将馆藏家谱整个复制一套，是难以想象的；而在电子时代，则是轻而易举的事情。同时，这种复制具有完全"保真"的特性。

苏易简（958—997）字太简，梓州铜山（今属四川）人。宋大臣。太平兴国间进士，历翰林学士、参知政事，陈州知府。卒谥文宪，赠礼部尚书。像载《新安苏氏族谱》，明成化六年（1470）新安苏氏刻清乾隆元年（1736）印本。

变化之二：从"纸库"到"数据库"——数字化给我们带来了新的管理方式和新的管理空间。

我们可以把现在的家谱库房叫做"纸库"。这种库房的一切表现形式都是外在的，纸张、柜架等等都是有形的。这种有形的库房中的一切都是有序的：案卷的排列是有序的，家谱柜的排列是有序的。有序化是传统家谱工作的根本要求和特征。但正是这种有序化限制了我们的工作和思维。在排列案卷时，我们只能在分类排架法和流水排架法之间选择其中之一，尽管这两种排架方法都有其缺陷，但我们只能是两害相权取其轻。有序化，是传统家谱管理工作的最大优点，也是传统家谱管理工作的最大缺陷。

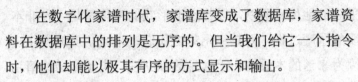

在数字化家谱时代，家谱库变成了数据库，家谱资料在数据库中的排列是无序的。但当我们给它一个指令时，他们却能以极其有序的方式显示和输出。

传统家谱管理是一种物理管理，而数字化家谱管理是一种逻辑管理。在传统家谱管理工作中，我们只能以一种或很少的几种角度来显示家谱信息的有序化；而在数字化家谱管理工作中，我们可以以任意一种角度来显示家谱信息的有序化。在数字化家谱时代，我们可以达到完美的检索，即全文检索。只要我们知道家谱信息中的某一个有实际意义的"字"，就能够查到在电子文件库中的家谱材料。同时，还可以通过对字词频的统计、分析、对照，来研究社会、经济、政治的发展趋势。

变化之三：从感性上升到理性——电子革命给我们带来了新的思想和新的理念。

电子革命给我们带来了新的谱牒学思想和家谱管理理念。不论是家谱本身的特性还是家谱管理的模式，不论是家谱管理的空间关系还是时间过程，电子革命都用一只无形的手做出了种种改变。事物特性

程富（隋末唐初），休宁（今属安徽）人。将领。隋末起兵据古城岩，入唐授总管府司马，封休宁县开国侯。像载《程氏迁吴支谱》，清道光二十四年（1844）承绪堂刻本。

的改变必定促使以这个事物为研究对象的学科内涵的变化。谱牒学是以家谱和家谱管理工作为研究对象的，家谱和家谱管理工作的电子革命必然引起谱牒学思想和理念的巨大变革，使得家谱工作者只有抛弃许多传统的理论和方法才能在新的信息环境中维护谱牒学的相关理论和核心原则，形成我国新型的数字家谱管理学科，促进家谱事业的进一步发展。

由于家谱数字化能够带来这么多好处，因此，国内外谱的数字化工作已呈蓬勃发展之势。然而，由于国内外，尤其是中文与外文家谱从内容到形式上都不一样，再加上国内外科技发展水平、资金投入、社会需求和服务方式等方面存在的差异，导致家谱数字化的道路也不一致。

　　在西方，随着现代科技手段的日益完善和网络技术的普遍应用，再加上世界范围内寻根热的不断升温，整个社会对家谱的需求不断高涨，除了一些传统的家谱图书馆在继续提供传统的查询服务之外，大部分的家谱图书馆，相当数量的网络公司、大学、研究机构、档案馆，也都利用自己的优势和资源纷纷建立家谱网站，向社会提供家谱的网上查询服务。人们进入家谱网站，既可以寻找自己过去的家谱，也可以建立自己的新家谱，甚至可以为久已失去联系的亲属提供网上交流、认亲的平台。在此，只要轻轻一点鼠标，便可通过相关搜索引擎检索到各国、各地区的家谱资源，有些站点还提供全文家谱服务，并建立各种各样相关的数据库和各种主题的家谱索引，极大地便利了用户查询，也极大地刺激了全社会的家谱查询需求，同时，还为自身的发展开拓了市场，注入了动力。

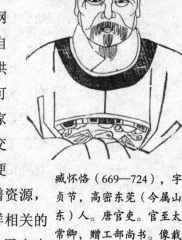

臧怀恪（669—724），字贞节，高密东莞（今属山东）人。唐官吏。官至太常卿，赠工部尚书。像载《臧氏宗谱》，1924年昭德堂木活字本。

　　反观中文家谱的数字化进程，虽然也取得了相当进展，但从整体上看，远没有出现西方家谱数字化后所带来的社会效应。有关中文家谱数字化的现状，上海图书馆谱牒研究中心房琴小姐已有专文评述[①]，极有见地，可以参考。今仅在房文基础上，再说几句。

[①]房琴《中国家谱数字化生存》，《中华谱牒研究》第299页。

当今的中文家谱数字化工作，大致是以某些图书馆，如上海图书馆、中国国家图书馆、香港中文大学图书馆等，某些研究机构，如山西社会科学院家谱资料研究中心，和某些宗亲会为主，很少有网络公司参加。他们所提供的服务内容也仅包括一般的书目服务、馆藏名谱的展示、馆藏重要家谱资源介绍、某姓家族世系渊源或宗亲会介绍等方面，只能满足一般浏览的需求，无法提供深入一点，如寻根，或进一步研究的需求服务。也没有出现像欧美那样大型的、能提供完整信息服务的综合性家谱网站。这使得整个中文家谱的数字化工作基本处于自发和自流状态，无法提升，自然也就无法扩大需求。

形成中文家谱数字化如此现状的原因，如果仔细考察，大致有如下方面：资金投入普遍不足，没有一个大型的数据库作为依托和保障，全社会的有效需求程度较低，家谱数字化的整体宣传不够，有关方面人员观念相对陈旧、服务手段单调，各网站自身造血功能较差，网站间的沟通、协调少。这些原因再加上技术手段相对落后和中国网民人数、网民构成以及其上网需求等方面与西方国家的差异，最终导致了中文家谱数字化过程与西方国家相比，居于相对落后的境地。

西方国家家谱数字化的成功经验、工作方法与经营理念，都将对中文家谱数字化的进程发挥积极作用。只要我们认真借鉴西方国家家谱数字化的成功经验，结合中文家谱的收藏现状和内容特点，明确方向，积极努力，是一定能够走出一条具有我们自己特色的中文家谱数字化道路的。

要加快中文家谱数字化的进程，除了有效借鉴西方家谱数字化的成功经验之外，我们认为，还应该在如下方面进行调整，加强力度。

第一，改变观念。中文家谱数字化工作并不是一个单位、一个家族、一个姓氏所能够承担的。加快中文家谱数字化进度应该成为全社会的共识，需要全社会的共同投入。因此，相关人士应该改变观念，将目光由一个单位、一个家族、一个姓氏投射到全社会中去，明确方向，加强宣传，以吸引全社会的关注，将社会中各种可资利用的资源吸引到这项工作中来，运用全社会力量，将这件事做好。

第二，明确需求。需求明确，目的方能明确，工作才有方向。社会需求应该是有差异的。中文家谱数字化的服务对象如果细分，大致有如下几种：1.对寻根问祖有明确需求的特定人群；2.新修家谱需要得到指导的专门人群；3.仅仅满足对家谱及其整体状况进行一般了解的普通人群和媒体记者；

《詹氏家谱》

4.各学科的专业研究人员。有关方面应根据不同对象的不同需求，制定出不同的服务对策，以满足不同的需求。只有这样，才能够提高中文家谱数字化被关注的程度，进而获得支持，得到发展。

第三，增加资金投入。应该积极争取资金投入，除了向政府申请之外，还应积极吸引社会资金、民间资金的投入，同时，改善自身的造血功能。在向公众、企业和全社会展示中文家谱数字化的重要意义、美好前景的同时，如果能够同时展示收益前景，所得到的结果将是十分令人欣喜的。

第四，加强数据库建设。数据库建设是中文家谱数

家谱的数字化

字化的基础和保障。这其中，最重要、最基础的是全文数据库的建设。在当今资金、技术、人力等条件尚不成熟的情况下，可以先开发一批专题数据库，如人名数据库、目录数据库、文化与著述数据库、宗族数据库、图片数据库等等，同时，加强各专题数据库之间的勾连，以最大限度地发挥各专题数据库的效用。在条件成熟时，再行开发全文数据库。

第五，建立和完善中文家谱数据库标准。选择和开发合适的软件，确定输入输出的界面设计，确定数据库的结构设计，进行数据库规范化设计、各种代码设计。为便利检索，编制一个相对完善的主题词表，制定主题标引的深度。确定检索途径，使建立的数据库具有易用性、可扩展性、关联性、翔实性等特征。

值得欣喜的是，目前，新加坡Cybersia.com公司与上海图书馆合作，利用各自的资源和优势，建立了全球华人中华寻根网站。中华寻根网是目前全球规模最大、内容最为翔实的中文家谱网站，具有中文简体、中文繁体和英文三种界面，为全球华人提供了一个追溯家族历史、增强亲朋联系的园地。它的主要栏目有：家谱档案、姓氏大全、姓名奇观、建立家谱、家谱中心、专家咨询、每日一谈、家训族规、寻根谒祖、列祖先贤、追思故人、宗亲联谊、专家登陆等。同时，还将上海图书馆家谱机读目录置于网上，供公众查询。中华寻根网站的建立，标志着中文家谱数字化工作进入了一个新的阶段。我们期待着，随着中华寻根网站的成功与影响的扩大，将增进人们对中文家谱数字化进程的关注，促进全球华人社会对中文家谱数字化工作的参与，使中文家谱数字化工作的进程迈上一个新的台阶。

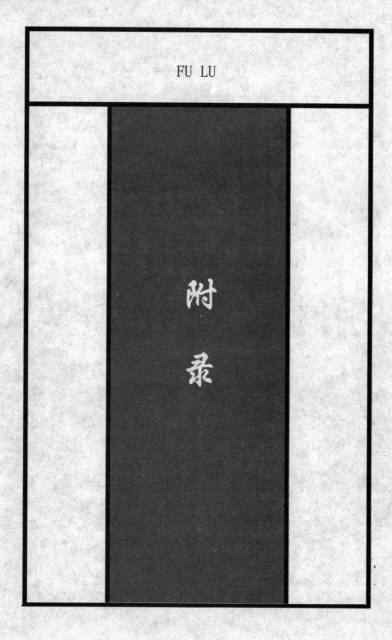

FU LU

附录

常见中文家谱网站简介

综合：

http://www.chineseroots.com/ www.xungen.com/中华寻根网

找寻同根，结识同族血脉，全球规模的翔实家谱，网络上最大的姓氏家谱资料库。

包括寻根主页、姓氏大全、姓名大观、建立家谱、家谱中心、专家咨询、专家登陆、寻亲觅友、购物广场等栏目。

http://www.china-stemmata.com/中国家谱

提供家谱为具有中国血统的炎黄子孙进行网上寻根问祖。该站内容极其丰富，有百家姓、网上寻祖、家谱欣赏、寻人启事等，并且提供了方便的检索系统。

http://202.108.240.89/family.htm寻根问祖

包括族谱搜索、百家姓氏、家谱登录，旨在借internet之便利，以谱联家，汇天下为一大家。

http://www.netor.com/网同纪念，在线追思

网上纪念馆、网墓、在线追悼会、中国族谱查询刻录；宗教知识、历史文化、人物传记（寻根问祖）。

http://www.look4r.com全球华人寻根驿站

姓氏：

http://zzt.xczc.zzptt.fj.cn/htm/xgdl/lhtsg/zp.htm
闽漳际都高氏族谱、步文上苑王氏族谱、镇海朱氏族谱、蒲坂关氏族谱、庄氏锦绣族谱、白石丁氏世谱、白石丁氏古谱、长洲族谱、颜氏族谱。

http://www.dingshihuizu.com/丁氏回族
介绍丁氏回族的习俗及族谱。

http://free.qd.sd.cn/dingzhou/ding.htm丁氏家谱

http://www.xingmufeed.com/su1.htm中国粟氏家谱中心
粟姓起源、粟姓分布、粟姓名人、家谱档案、寻找家人。

http://shu.web600.com/华人第一舒氏网
华人舒氏文化、历史、家谱、BBS。

http://www.chinayangs.com/蜀州火井塘杨氏之家
杨氏家谱、字画收藏、退休养老等。

http://chinayangs.com中华杨氏网
这是一个有关杨姓的网站，含杨氏字画收藏、杨氏起源、杨氏名人等。

http://tofh.cn99.com/方氏族谱

湖北黄冈立本堂三修《方氏族谱》网上宣传。立本堂方式宗谱，搜集了有关方氏起源、分布，以及各宗派谱牒、堂号、家谱、收藏地等。

http://mcgi.163.com/gb/url.html立本堂方氏宗谱

提供谱牒目录、谱序传略、先人遗训和流传字派等内容。

http://go6.163.com/netfang/gb/index01.htm方氏网络

介绍方氏起源、分布、各宗派谱牒、堂号、家谱历史和资料收藏地。包括姓氏起源、迁徙分布、郡望堂号、天下谱牒、各支字派、方氏名人、收藏简介、各地藏馆、古迹名胜、逸事典故、宗亲协会等。

http://www.chineseroots.com/xungen/civer/jiapu/builder/viewCover.jsp?PKID=34269孝友堂·程氏家谱

追溯孝友堂·程氏先人足迹，凝聚程氏后人的力量，栏目有告程氏族人书、世系世录、如裔世表、慕裔世表、辈分表、欧式家谱、世系登记表、孝友堂·程氏纪念馆、程聚禄纪念馆、程姓族谱资料介绍大全等。

http://yours.533.net/t dszp.htm段氏宗谱

段氏宗支世谱。

http://go5.163.com/shijiazhi/人文网络的起步

用中华民族各姓氏的家谱，汇合炎黄子孙脉络的庞大工程；施氏家谱。

http://yiu.top263.net/天下"易"家人

介绍姓氏文化、姓氏故事、百家姓辑、易姓起源及易氏家谱族谱。栏目有姓氏的形成、姓氏面面观、百家姓网链、易姓起源说、易氏源流辨、宗支世系表、家谱序传选、易姓名人录、易姓的发展、网连家门情等。

http://www.rangs.org/让氏宗族信息

含让氏家谱序。介绍让氏起源及让氏名人等。

http://www.lxmqzf.163.net/钱氏家谱研究

研究、交流和收集钱氏家谱。对钱氏家谱的起源、变迁、人文背景进行收集、补充、探讨和交流。栏目包括序跋、姓氏起源、家谱书目、大宗谱目、支谱谱目、图像、年表、遗训、传记、艺文等。

http://www.8848m.163.net/张氏家族

张氏名人、家谱、成就、作品。主页介绍有"天下第一姓氏"之称的张姓的历史、分支、家谱及张姓名人的业绩和作品，以求弘扬民族文化，展示张氏家族的风采。

http://zhangqih.tongtu.net/张氏春秋

张氏寻根、张氏研究、族谱查询、族谱登录。

http://yzyou.home.chinaren.com/袁氏家谱

介绍陕鄂豫袁氏家谱、文学作品和野人传奇（个人主页）。

http://fanjia.at.china.com/樊家人

樊家人姓氏网站，联合全世界樊家人建立网上家园。樊荣强主持，知本策划主办。包括给我来信、寻根问祖、祖谱收藏、文章精选、樊家名人、樊人轶事、樊门论坛、樊家新闻、樊姓商人等。

http://ning.126.com/宁氏全球宗亲网

介绍宁姓来源、名人、历史资料、家谱等。

http://www.ame.ntu.edu.tw/~dsfon/personal/famiroot.htm冯氏族谱网站

http://shun.coca.com.tw/~huan/index.htm黄六成公家谱网站

http://www.taconet.com.tw/cnfamily新竹北门郑氏家族网站

http://home.cityfamily.com.tw/prfun.asp?#sno唐乾的家族网站

http://gxzheng.yeah.net郭氏家谱

发展和研究郭氏家谱的历史以及宗谱的再续。

http://go.163.com/oxyj/全球华人余氏族谱

族谱、新闻、资源大全等服务。

http://lin04.topcool.net/林氏族谱研究
研究林氏起源、分布、迁徙、族谱等。

http://yasir.myetang.com/陈氏族谱
介绍台山陈氏源流。

http://cheng1.heshan.net/c0.htm陈氏族谱
介绍有关陈氏族谱。

http://chen2000.my163.com/陈氏论坛
光大陈氏之论坛，介绍陈氏族谱。

http://yasir.myetang.com/颍川堂凌村陈氏族谱
介绍鹤山凌村陈氏九百年子孙繁衍历程和祖训、班派。

http://www.hello.com.tw/~lilych竹头角陈氏家谱网站

http://www.nkfu.edu.tw/~reler/chengsgroup.htm台南县陈氏族谱网站

http://www.taconet.com.tw/chinq溪湖小镇
介绍溪湖镇由来、溪湖陈氏家谱及风景图。

http://members.nbci.com/康氏族谱

含族谱树形表、康氏历史背景及家庭照片。

http://ezepost.home.chinaren.com易泽驿站

新疆的个人主页,网页可即时翻译。搜集了有关胡氏来源、胡氏家谱、胡氏网站、胡氏名人的资料。

http://dj@home.ls.zj.cninfo.net/~dj/liang/index.htm寻根问祖——百家姓——梁氏

关于梁氏氏族的由来和有关的族谱。

http://www.nease.net/~hwang/hsyy/right.htm黄氏作坊之黄姓渊源

关于姓氏族谱的网页,目前只提供黄姓的历史与发展、分布。

http://www.msws.idv.tw/~carl/<http://welcome.to/wongs

含广东揭阳登岗乡黄氏官房族谱、历史、子孙介绍及相关轶事。

http://www.msws.idv.tw/~carl/萧氏(书山)族谱

萧氏族谱及个人之祖先姓名等查询,提供萧姓之由来、源流、分布等资讯。

http://www.daxing.com.tw/~xja/index.html萧氏(书山)族谱网站

http://www.hello.com.tw/云山派下余氏族谱

含有族谱及宗亲会介绍。

http://kindred.126.com范氏的家页
含历史、家谱、子孙介绍及相关轶事。

http://qinxue9711.8u8.com/jiapu0.htm清明情缘
个人网站，包括秦氏家谱等内容。

http://liushi.126.com/刘氏族谱
研究谱牒学原理及实例,介绍刘氏族谱概况。

http://www.zhongshan.org.cn/qinshu2.htm孙氏家谱

http://www.sei.sn/yesq/zgsx/zgsx/d17.html许氏家谱

http://dfmg.com.tw/dasp/shieh/sh−indes.htm谢氏族
姓

图书馆:

http://www.libnet.sh.cn/digilib/zjxm/jp.htm上图数字
图书馆
　　提供李鸿章、刘少奇、荣毅仁和钱钟书等人物的
家谱。{上图名人家谱小例:〔合肥〕李氏宗谱<http://
www.libnet.sh.cn/digilib/zjxm/jp1.htm>——(清李鸿章家
谱);宁乡南塘刘氏四修族谱<http://www.libnet.sh.cn/
digilib/zjxm/jp5.htm>——（前国家主席刘少奇家谱）;
　　〔无锡〕荣氏家谱<http://www.libnet.sh.cn/digilib/zjxm/

jp9.htm>——（前国家副主席荣毅仁家谱）；〔无锡〕堠山钱氏丹桂堂家谱<http://www.libnet.sh.cn/digilib/zjxm/jp11.htm>——（著名文学家、学者钱基博、钱钟书家谱）}

http://www.qzlib.com.cn/泉州市图书馆
书目检索、乡贤著述、馆藏谱牒、网上读书。

http://zzt.xczc.zzptt.fj.cn/htm/xgdl/lhtsg/zp.htm龙海图书馆珍藏族谱
陈氏族谱、许氏族谱、洪氏族谱、林氏族谱、郭氏族谱、黄氏族谱、蔡氏族谱、蓝氏族谱、高氏族谱、浯江家谱、本馆珍藏族谱。

http://www.nlc.bov.cn国家图书馆

http://www.gxlib.org.cn/dfwxyl.htm广西图书馆

http://www.xianyou.gov.cn/3-kejiao/3-mingbang/mb5.htm仙游县图书馆

其他：

http://www.jpwz.com/家谱信息网
家谱、征婚、交友、MP3、拍卖。

http://bj.netsh.com/bbs/81963/家春秋
中国家谱/族谱。

http://www.bxwang.com/百姓社区

　　提供功能强大的族谱查询与管理、聊天室、BBS、同学交友等栏目。

http://welcome.to/hkstongage石器时代—香港一族

　　含成员、族谱、合成资料、任务、精灵介绍，料理技术等信息。

http://homepage.renren.com/stongage2石器族

　　含成员、族谱和规则等资讯。

主要参考书目

《中国族谱研究》，罗香林著，（香港）中国学社，1971年10月。

《族谱学与香港地方史研究》，萧国健、萧国钧著，（香港）显朝书社，1982年。

《中国的族谱》，陈捷先著，1989年。

《中国族谱——源流、内容及简易编纂方法》，姚素莲著，（台湾）茂昌图书有限公司，1986年。

《台湾区姓氏堂号考》，杨绪贤编撰，中华文化复兴运动推行委员会台湾分会等发行，1979年6月。

《中国宗谱之研究》，多贺秋五郎著，（日）学术振兴会，1981年、1982年。

《福建族谱》，陈支平著，福建人民出版社，1996年12月。

《中国家谱》，欧阳宗书著，新华出版社，1992年12月。

《中国的年谱与家谱》，来新夏、徐建华著，商务印书馆，1997年12月。

《宗族志》，常建华撰，上海人民出版社，1998年10月。

《家范志》，徐梓撰，上海人民出版社，1998年10月。

《祠堂·灵牌·家谱——中国传统血缘亲族习俗》，刘黎明著，四川人民出版社，1993年5月。

《族谱：华南汉族的宗族·风水·移居》，（日）濑川昌久著，钱杭译，上海书店出版社，1999年5月。

《泉州谱牒华侨史料研究》，庄为玑、郑山玉编，中国华侨出版公司，1998年。

《满族宗谱研究》，李林著，辽沈书社，1992年。

《本溪县满族家谱研究》，李林等著，辽宁民族出版社，1998年8月。

《满族在岫岩》，张其卓编撰，辽宁人民出版社，1984年。

《两驿集》，赵华富著，黄山书社，1999年10月。

《第一届亚洲族谱学术研讨会会议记录》，（台湾）《联合报》文化基金会国学文献馆编印、出版，1983年。

《第二届亚洲族谱学术研讨会会议记录》，（台湾）《联合报》文化基金会国学文献馆编印、出版，1985年。

《第三届亚洲族谱学术研讨会会议记录》，（台湾）《联合报》文化基金会国学文献馆编印、出版，1987年。

《第四届亚洲族谱学术研讨会会议记录》，（台湾）《联合报》文化基金会国学文献馆编印、出版，1989年。

《第五届亚洲族谱学术研讨会会议记录》，（台湾）《联合报》文化基金会国学文献馆编印、出版，1991年。

《第六届亚洲族谱学术研讨会会议记录》，（台湾）《联合报》文化基金会国学文献馆编印、出版，1993年。

《第七届亚洲族谱学术研讨会会议记录》，（台湾）《联合报》文化基金会国学文献馆编印、出版，1996年。

《谱牒学研究》第一辑，中国谱牒学会编，书目文献出版社，1989年12月。

《谱牒学研究》第二辑，中国谱牒学会编，文化艺术出版社，1991年7月。

《谱牒学研究》第三辑，中国谱牒学会编，书目文献出版社，1992年12月。

《谱牒学研究》第四辑，中国谱牒学会编，书目文献出版社，1995年5月。

《中国谱牒研究——全国谱牒开发与利用学术研讨会论文集》，王鹤鸣等主编，上海古籍出版社，1999年10月。

《中华谱牒研究——迈入新世纪中国族谱国际学术研讨会论文集》，王鹤鸣等主编，上海科学技术文献出版社，2000年10月。

《中国社会历史评论》第一卷，张国刚主编，天津古籍出版社，1998年8月。

《图书馆学情报学青年文丛》，宾锋等主编，上海科学技术文献出版社，2001年3月。

《孔府内宅轶事——孔子后裔回忆》，孔德懋著，天津人民出版社，1982年3月。

《孔裔谈孔》，孔令朋著，中国文史出版社，1998年9月。

《曲阜孔府档案史料选编》第三编，第一册，曲阜师范学院历史系，齐鲁书社。

《史讳举例》，陈垣著，上海书店出版社，1997年

6月。

《清史史料学》，冯尔康著，（台湾）商务印书馆，1993年11月。

《第一历史档案馆馆藏档案概述》，第一历史档案馆编著，档案出版社，1985年6月。

《大槐树寻根》，郑守来、黄泽岭主编，华文出版社，1999年1月。